大家小书

史学遗产六讲

白寿彝 著

北京出版集团公司
北 京 出 版 社

图书在版编目（CIP）数据

史学遗产六讲 / 白寿彝著 . — 北京 ：北京出版社，2016. 7(2024.5重印)
（大家小书）
ISBN 978-7-200-12082-0

Ⅰ. ①史… Ⅱ. ①白… Ⅲ. ①史学—研究 Ⅳ. ①K03

中国版本图书馆CIP数据核字（2016）第077479号

总策划：安 东 高立志 责任编辑：阎慰鹏 严 艳

· 大家小书 ·
史学遗产六讲
SHIXUE YICHAN LIU JIANG
白寿彝 著
*
北京出版集团公司
北京出版社 出版
（北京北三环中路6号 邮政编码：100120）
网 址：www.bph.com.cn
北京出版集团公司总发行
新华书店经销
北京华联印刷有限公司
*
880毫米×1230毫米 32开本 8.625印张 141千字
2016年7月第1版 2024年5月第5次印刷
ISBN 978-7-200-12082-0
定价：34.00元
质量监督电话：010-58572393

序　　言

袁行霈

“大家小书”，是一个很俏皮的名称。此所谓“大家”，包括两方面的含义：一、书的作者是大家；二、书是写给大家看的，是大家的读物。所谓“小书”者，只是就其篇幅而言，篇幅显得小一些罢了。若论学术性则不但不轻，有些倒是相当重。其实，篇幅大小也是相对的，一部书十万字，在今天的印刷条件下，似乎算小书，若在老子、孔子的时代，又何尝就小呢?

编辑这套丛书，有一个用意就是节省读者的时间，让读者在较短的时间内获得较多的知识。在信息爆炸的时代，人们要学的东西太多了。补习，遂成为经常的需要。如果不善于补习，东抓一把，西抓一把，今天补这，明天补那，效果未必很好。如果把读书当成吃补药，还会失去读书时应有的那份从容和快乐。这套丛书每本的篇幅都小，读者即使细细地阅读慢慢地体味，也花不了多少时间，可以充分享受读书的乐趣。如果把它们当成补药来吃也行，剂量小，吃起来方便，消化起来也容易。

我们还有一个用意，就是想做一点文化积累的工作。把那些经过时间考验的、读者认同的著作，搜集到一起印刷出版，使之不至于泯没。有些书曾经畅销一时，但现在已经不容易得到；有些书当时或许没有引起很多人注意，但时间证明它们价值不菲。这两类书都需要挖掘出来，让它们重现光芒。科技类的图书偏重实用，一过时就不会有太多读者了，除了研究科技史的人还要用到之外。人文科学则不然，有许多书是常读常新的。然而，这套丛书也不都是旧书的重版，我们也想请一些著名的学者新写一些学术性和普及性兼备的小书，以满足读者日益增长的需求。

“大家小书”的开本不大，读者可以揣进衣兜里，随时随地掏出来读上几页。在路边等人的时候，在排队买戏票的时候，在车上、在公园里，都可以读。这样的读者多了，会为社会增添一些文化的色彩和学习的气氛，岂不是一件好事吗？

“大家小书”出版在即，出版社同志命我撰序说明原委。既然这套丛书标示书之小，序言当然也应以短小为宜。该说的都说了，就此搁笔吧。

前　言

瞿林东

本书是白寿彝先生论史学遗产的代表性著作，其中所收录的六篇论文，写于两个不同的历史时期。《谈史学遗产》这篇长文撰于1961年，其余五篇撰于1981—1982年，前后相隔二十年，而其撰述旨趣显然是一脉相承的。

中国是一个史学大国，拥有连续不断和丰富厚重的史学遗产。所谓史学遗产，是历史上流传下来的前人在史学活动中的创造和积累，是文化遗产的重要部分。把史学遗产从历史遗产中“分离”出来，并把它作为一个专门的学术问题和理论问题提出来进行研究，白寿彝先生的这几篇文章不仅开其先河，而且从理论上和研究对象上奠定了探讨这一领域的学术基础，因而产生了较大的学术影响。

《谈史学遗产》一文从理论上阐述了研究史学遗产的重要性及研究史学遗产的方法。关于研究对象，作者从七个方面作了概括，即归纳了史学遗产中的主要成就，并将其比喻为一个个“花圃”。这就是：中国史学上有关基本观点的遗产，包含历史观、历史观点在史学中的地位、史学工作的作用；史料学遗产；历史编纂学遗产；历史文献学遗产；重大历史问题研究成果；有代表性的史学著作；历史启蒙书方面的遗产。关于研究史学遗产的必要性，作者指出：① 研究史学遗产，可以更具体更深刻地理解史学在社会中的作用；② 研究史学遗产，可以逐步摸索出来中国史学发展的规律；③ 研究史学遗产，可以把历史上人们提出来的一些史学问题作为当前研究的资料，丰富我们的研究内容。这些见解，在今天看来，仍有重要的启发意义。回顾20世纪中国史学，自1901年梁启超发表《中国史叙论》、1902年发表《新史学》对中国古代史学进行激烈的批评后，直至20世纪五六十年代，中国古代史学始终处于不被重视以至被否定的地位。白寿彝先生在1961年撰写此文，这在当时不仅要有学术上的见识，而且要有理论上的勇气。

作者在20世纪80年代撰写的五篇文章，集中讨论了四个问题，即历史观点、历史文献学、历史编纂学、历史文学。关于历史观点问题，作者在《谈史学遗产答客问》一文中，着重分析了中国史学上关于历史进程的看法、关于地理环境的看法、关于社会经济的看法、关于得失成败的看法、关于有民主思想内容的看法。作者继《谈史学遗产》之后，再次提出了在马克思主义史学出现以前，中国史学上是否存在“历史唯物主义的萌芽”的问题。从作者的观点来看，他的回答是肯定的。同时他也指出，这些问题需要作长期的讨论。

《谈历史文献学》和《再谈历史文献学》这两篇文章，是作者在一年多的时间里撰写的。这两篇文章不仅可以相互补充，而且还可以从中看出作者在有些问题上思考的轨迹。在《谈历史文献学》一文中，作者指出了历史文献学的重要性，认为：“历史文献学可以帮助我们搜集、分析并正确地利用历史文献，使我们的历史工作在文献方面具有良好的条件，这就是历史文献学的主要用处。”在《再谈历史文献学》一文中，作者提出了历史文献学学科建设的设想，指出：“历史文献学，或者更正确地说，中国历史文献学，可以包含四个部分。① 理论的部分；② 历史的部分；③ 分类学的部分；④ 应用的部分。这样的分法，未必合适。现在这样分，也只是便于说明问题。”从这四个方面着手来建设历史文献学，是作者的一个重要的创见。其中，关于“理论的部分”，提出了“历史文献学的多重性”问题；关于“历史的部分”，提出了历史文献同历史时代的关系；关于“分类学的部分”，提出历史文献学的分类学与目录学有一定的区别，即前者“有统观全局的要求”；关于“应用的部分”，认为可以包含目录学、版本学、校勘学、辑佚学和辨伪学等。这些论点极大地开阔了人们关于历史文献学的理解和认识，对历史文献学的学科建设有重要的参考价值。

《谈史书的编撰》一文，反映了作者的历史编纂学思想。文章全面地评价了中国传统的各种史书体裁，指出了它们各自的特点及相互间的联系，以及前人在对史书体裁的认识方面留给后人的启示。尤其值得注意的是，作者第一次提出了“综合体”史书的概念并强调这样一个论点：“历史现象是复杂的，单一的体裁如果用于表达复杂的历史进程，显然是不够的。断代史和通史的撰写，都必须按照不同的对象，采取不同的体裁，同时又能把各种体裁互相配合，把全书内容融为一体。”作者总主编的《中国通史》，正是在这一撰述思想指导下进行并获得重大成功的。

《谈历史文学》一文，首先区别了两种不同的“历史文学”的含义和性质：一种含义，“是指用历史题材写成的文学作品，如历史小说和历史剧”。另一种含义，“是指历史著作中对历史的文字表述”，如写人物、写语言、记战争、表世态，都有优良的传统。继而作者从史文的运用上举《左传》、《国语》、《战国策》、《史记》、《资治通鉴》为例进行论述，并有广泛的涉及；又从理论上举《史通》、《日知录》的有关论述作进一步分析。在讲到文与史的关系时，作者的这一段话是值得格外予以关注的，这就是：“是否有这样的作品，既可以说是历史书，又可以说是文学书？”“《史记》、《汉书》、《后汉书》、《三国志》既是历史书，也可以说是文学书，但究竟是历史书。它们是历史书，而具有相当高的文学水平。但确实有一些书，同时具备了历史书和文学书的性质，而不好说它主要是属于哪种性质的。如《盐铁论》、《世说新语》等就是这样的书。但这样的书毕竟不多。”这些见解，对于人们正确认识历史书和文学书的界限是有帮助的。作者撰写这篇文章，除了阐述中国史学上的历史文学的优良传统外，还有一个鲜明的旨趣，就是为了说明这样的道理：“一个历史工作者必须有一定的文学修养。不要说我们历史上的大历史家都是文学家了，仅就一个普通的历史工作者来说，他对于文学没有一定的修养，是不能胜任这个工作的。”当今的史学工作者，如能在这方面有所提高，对于历史学成果走向社会并广泛传播，进而充分发掘历史学的社会功用，是大有裨益的。

通观全书，《史学遗产六讲》是作者从理论上对中国史学遗产进行系统的发掘、爬梳的开创性成果，反映了作者恢弘的视野和渊博的学识。书中对史学遗产之精华所作的分析及其在当今史学事业中之价值的阐释，其真知灼见，在在多有，对史学理论与史学史研究者和广大史学工作者来说，尤其对青年史学工作者和史学爱好者来说，既是入门之书，又是指导之书，成为人们走进史学遗产这一辽阔繁茂的园地，从而走进宏伟庄严的史学殿堂的一条路径。

本书作者对《史记》有精深的研究，为世所重，所撰《〈史记〉新论》和《司马迁寓论断于序事》两文，卓尔不群，成为《史记》研究的传世之作。现以其附录于本书，一则可以进一步窥见作者对史学遗产之“细部”研究的精深，再则也可以帮助读者通过认识《史记》这部书去体味史学遗产的丰富底蕴。这或许可以收到从宏观到微观，再从微观到宏观之双重感受的学术佳境。

北京出版社编辑、出版“大家小书”，可谓立意新颖而又颇具学术眼光。《史学遗产六讲》收入其中，对“大家小书”和广大读者，都是很有意义的。出版社嘱我为此书撰写一篇前言，一是对所收文章略作介绍，二是也谈谈我的一点认识。这对我来说，更重要的，当是一个“温故而知新”的过程。

2003年11月1日撰于

北京师范大学史学研究所

目 录

001 / 谈史学遗产
038 / 谈史学遗产答客问
057 / 谈历史文献学
——谈史学遗产答客问之二
079 / 谈史书的编撰
——谈史学遗产答客问之三
100 / 谈历史文学
——谈史学遗产答客问之四
122 / 再谈历史文献学

139 / 附：《史记》新论
219 / 附：司马迁寓论断于序事

谈史学遗产

是一种有意义的工作

新中国成立以来，医药学遗产和戏曲遗产的整理工作，在党的领导下取得了显著的成就。一个是蓬蓬勃勃，一个是万紫千红。历史遗产的其他方面，如数学、天文历法、农学、化学、建筑、机械、音乐、舞蹈、雕塑、绘画、文学、哲学等的整理工作，也都取得了不同程度的成绩。祖国史学有长期的历史，有浩瀚的典籍，它给我们留下的遗产是丰富的。但我们史学工作者注意一般的历史遗产比较多，注意史学遗产还很不够。这篇小文想把这个问题提出来，促请同志们多注意一下。

我认为，在努力开拓史学工作的新园地、提高不断耕耘的质量的同时，适当地分出一些力量来研究史学遗产，对于发展我们的新史学是有意义的。我想，这至少可以得到下列的几种好处。

第一，研究史学遗产可以更具体更深刻地理解史学作为一种社会意识形态在现实斗争中的战斗作用。

自殷商“有册有典”以后，国史的编修大权主要是掌握在奴隶主国家和封建主国家的手里。在封建时代里，官史没有不咒骂农民起义的，没有不把对农民的镇压写成神圣的“正义”行动的，而又往往把官兵对老百姓的残杀掳掠写在起义农民的账上。改朝换代了，回护本朝的短和夸大前朝的罪恶和错误，这就成了新修史书的一个政治任务。如果在封建割据的时期，不同割据集团的史书就会互相对骂起来。

也有进步的或有进步倾向的史学家写出了触犯统治集团利益的东西，他这个人或他的这部书就要倒霉了。司马迁揭了封建统治者的疮疤，他的《史记》就不如班固的《汉书》在当时易于流传。东晋的孙盛写了一部《晋阳秋》，揭了桓温的底，触怒了这个当权的人物，他不得不另抄一个副本寄存辽东以防书稿的毁灭。清初的庄廷鑨案是一个有名的历史书狱。只因触犯了清廷，庄氏的墓被发掘，他的尸骨被烧成灰，他的父亲、兄弟和侄儿，编书、刻书、卖书和其他被牵连的，共有七十多个人被砍了头。

一切历史著作都不能不受作者历史观的支配。不同的历史观，归根到底，总可以从不同的阶级利益上得到解释。但历史观在反映阶级利益的时候，往往是错综曲折，不一定明显确切。再加上史学传统的继承性，就使我们对于史学遗产进行阶级分析的工作更加复杂化了。但也正因为这样，研究史学遗产才更有意义，才更能帮助我们理解史学在现实斗争中的具体特点。

第二，研究史学遗产可以逐步摸索出来中国史学发展的规律。

从中国史学的发展上看，不同时期的历史著作总有它的不同的特点。先秦的历史著录，如甲骨卜辞、钟鼎文字、《尚书》、《春秋》、《竹书纪年》、《世本》等，表达的形式不同，但有一个共同的特点：只纪王公的活动，不是孤立的单篇，就是连续的片断。魏晋南北朝时期，纪传体的撰述较多，后汉史有十一家，晋史有十二家。而名人传记可考者近二百家，姓氏书有七八十种。唐中叶以后，大部头的通史相继出现。清代是考据多，地理书多，注释辑补改作旧史的书多。为什么在不同时期有这样不同的特点？这一定有它们的规律。

中国史学史上还出现这样一个传统：在中国历史遇到一定显著变化以后，总有带总结性的历史名著出现。春秋战国之际，《春秋》这部书写成了，总结了春秋时期二百四十二年的历史。汉在武帝时完成了史无前例的统一，司马迁写出了一百三十卷的《史记》，总结了自传说中的黄帝以至武帝时的历史。唐代中叶是中国封建社会内部有了较多变动的时期，刘知几写了《史通》，总结了前人编写历史的经验，而杜佑写了《通典》，总结了唐中叶以前的典章制度。北宋结束了五代的纷争，司马光主编了到五代为止的《资治通鉴》。宋元之际和明清之际都是中国政治史上很大的变局，马端临编撰了《文献通考》，王夫之写了《读通鉴论》、《宋论》，顾炎武编撰了《日知录》和《天下郡国利病书》，黄宗羲写了《明夷待访录》。这样的传统也不能单从形式上来考察，它也必然有跟中国史学发展规律相结合的具体规律。

中国史学的发展也是从低级形态到高级形态，从最简单的关系到比较复杂的关系。不同时期的史学一方面受所处时期历史条件的制约，另一方面也有接受前代传统的相对独立性。同时，中国史学在悠久时期里又是独立状态中发展起来的，它的发展规律也必然有自己的民族特点。研究史学遗产，摸索出中国史学发展的规律，这是具有创造性的工作，有很大的理论意义。

第三，研究史学遗产，可以把历史上提出来的一些史学问题作为当前历史研究的资料，丰富我们研究的内容。我们可以专门研究一个史学家或一部史学著作所提出来的一些问题，也可以把不同的史学家、不同的史学著作所提出来的同一问题和相关问题进行综合的研究。如果在比较广泛的范围内，把已经提出的问题和有关的不同论点集中起来，排排队，可能对于我们有不少的启发。

例如《文献通考》这部书，一向被认为是一部排比材料的书，不能跟杜佑《通典》之“剪裁镕铸、成一家言”者相提并论。不同意这种说法的，也不过认为《通考》的资料丰富，便于撷取。其实《通考》更值得注意的地方是它提出来许多问题，又提出来对这些问题的看法。其中有些是前人提出过的，有些是马端临新提出来的，两者汇合在一起，就有了很多的东西。拿开卷的二十七卷来说，都是关于食货的文献，其中分了田赋、钱币、户口、职役、征榷、市籴、土贡、国用等八门，每门里面又有子目。马端临对于这八门，都分别提出了一个因革变化的轮廓，对于有关的某些文献也提出了自己的解释和看法。在科学地分析问题这一点上，马端临所能掌握的条件是无法跟我们这一时代的史学工作者相比拟的。但对于食货的材料提出这样多的方面并且都表示了自己的看法，这其中还是有不少地方可以值得学习和借鉴的。

又如《史通》和《文史通义》，都提出了不少历史编纂学上的问题。《史通》的《序例》、《断限》、《采撰》、《补注》等篇，《文史通义》的《史注》、《文理》、《释通》、《申郑》、《答问》等篇，其中有好多话还是值得我们参考的。

除了从遗产内丰富我们以外，我们还可以在遗产研究的过程中不断地促使自己的头脑清醒。思想意识的影响往往是长期的，自己受到了这种影响并不一定就能觉察。在研究遗产的时候，就可能发现自己的观点上笼罩着旧有思想的阴影，它可是资产阶级的，甚至是封建的。在遇到这种情况的时候，古旧的遗产会成为一面有用的镜子。

对上面说的这三条，无论做好哪一条，都需要创造性的劳动，都可能提高我们的理论水平，锻炼我们在理论战线上的战斗力量，也都可能丰富、发展马克思主义。我们要研究史学遗产，既不同于那些要把遗产一脚踢开的割断历史的简单的想法，也跟那些颂古非今的死抱着遗产不放的国粹主义者毫无共同的地方。我们主张取其精华，弃其糟粕，改造我们的遗产，使它为社会主义史学服务。我们要继承优良传统，同时更要敢于打破传统，创造出宏大深湛的新的史学规模。

毛主席《在延安文艺座谈会上的讲话》说：“我们必须继

承一切优秀的文学艺术遗产，批判地吸收其中一切有益的东西，作为我们从此时此地的人民生活中的文学艺术原料创造作品时候的借鉴。有这个借鉴和没有这个借鉴是不同的，这里有文野之分，粗细之分，高低之分，快慢之分。所以我们决不可拒绝继承和借鉴古人和外国人，哪怕是封建阶级和资产阶级的东西。但是继承和借鉴决不可以变成替代自己的创造，这是决不能替代的。文学艺术中对于古人和外国人的毫无批判的硬搬和模仿，乃是最没有出息的最害人的文学教条主义和艺术教条主义。”这段话是针对着文学艺术遗产说的。从对待遗产应有的正确态度来说，在文学艺术和史学之间是没有什么不同的。我们对于毛主席的这段论述，应该认真地学习、体会。

精华和糟粕

史学遗产有精华，有糟粕。从思想内容上说，民主性和革命性的东西是精华，封建性的东西是糟粕，这就要像毛主席所指出的“剔除其封建性的糟粕，吸收其民主性的精华”（《新民主主义论》）。在表达形式和其他方面，史学遗产中也有优良传统和非优良传统的区别。对于这些优良传统，也要像对待过去文艺形式一样，“我们也并不拒绝利用”（《在延安文艺座谈会上的讲话》）。

在思想内容上，中国史学遗产中是贯串着拥护封建专制主义和反对封建专制主义的斗争的。尽管反对封建专制主义的史学家并不能全部反对封建主义，也不一定全部反对封建专制主义，但专就反对专制主义或反对封建专制主义某些方面来说，这跟拥护封建专制主义就有进步和落后、反动的区别，也就有精华和糟粕的区别。

司马迁著《史记》，是善于揭露封建专制主义统治下的黑暗的。他写了《酷吏列传》，把汉文帝、汉景帝、汉武帝时期酷吏代表人物集中在一起，就把汉家盛世在专制淫威下的残酷面貌揭露出来了。他写了《叔孙通传》，把跟随叔孙通的儒生们，在定朝仪前后思想变化的丑态刻画出来，最后轻轻点了一句，说叔孙通因制朝仪“卒为汉家儒宗”，这就把汉代儒家的政治面貌揭露出来了。他又写了《游侠列传》和《货殖列传》，去讽刺当时之以权力财货代替是非善恶的标准，深深愤慨于“窃钩者诛，窃国者侯，侯之门仁义存”。班固作为在史书体制上的司马迁的继承人，却恰好反对司马迁反封建专制主义的观点。他在《汉书》里，批评司马迁是“是非颇谬于圣人，论大道则先黄老而后六经，序游侠则退处士而进奸雄，述货殖则崇势利而羞贱贫”。范晔著《后汉书》，又不同于班固的观点。他的《党锢列传》，有类于司马迁的《游侠列传》。他为王充、王符、仲长统作合传，恰好这三个人都是唯物论者，或能“正时俗嫌疑”，或“耿介不同于俗”，或能昌言“时敝”，用班固的话说，都是在不同情况下“是非颇谬于圣人”的。他评骘司马迁和班固说：“迁文直而事核，固文赡而事详。”这并不是对两人文章特点的评论，而是对两人史学高下的评论。虽寥寥两语，却自有千秋。他在班彪、班固父子传后指出：“彪固讥迁，以为是非颇谬于圣人。然其论议常排死节，否正直，而不叙杀身成仁之为美，则轻仁义、贱守节，愈矣！”这实际上就是反对班固站在专制主义的立场上对于游侠的看法。从司马迁到班固，又从班固到范晔，反对和拥护封建专制主义的斗争，是在一个回合又一个回合地进行的。

司马光编《资治通鉴》，目的在于为封建统治集团提供进行统治的历史经验。朱熹用《通鉴》的材料，节缩成《通鉴纲目》，不只要提供统治经验，并且要通过史书去宣扬封建专制主义。这书讲究“因年以著统”，说：“统正于下，而人道定矣。”这个“统”，就是所谓“正统”。《通鉴纲目》强调正统，就是要在一定的历史时期专拥护某一皇朝的统治，而对于反对这种统治的政治力量一概称做“僭伪”。这书的凡例，有系统、岁年、名位、即位、改元、尊立、崩葬、篡贼、行幸、恩泽等，这也都跟正统观点相一致，都是为宣扬专制主义服务的。在元明清三代，这书实际上成为封建统治集团最赏识和推崇的史书。有人为这书作续补，有人为这书作《发明》、《书法》、《集览》、《考证》等解说性质的书。康熙皇帝又对这书作了“御批”，企图通过“御批”的形式扩大它的影响。

在《通鉴纲目》流行的时期，史学思想的领域里不断发出反封建专制主义的抗议。晚明的李贽著《藏书》，这是一部有丰富的战斗性格的史书。他自称“读史时，真如与百千万人作对敌，一经对垒，自然献俘授首，殊有绝致，未易告语”。他不是以直接反对专制主义出现，而是以反对封建主义教条、反对封建传统的成见出现的。清初，在先进思想家、史学家的社会历史思想中，反封建专制主义的思想表现得更为集中，也更为普遍一些。黄宗羲著《明夷待访录》，尖锐地抨击封建皇帝“屠毒天下之肝脑，离散天下之子女”，以博取少数人的产业和淫乐。唐甄著《潜书》，斥言“自秦以来，凡为帝王者皆贼也”，“杀一人而夺其匹布斗粟，犹谓之贼。杀天下之人而尽有其布粟之富，而反不谓之贼乎！”王夫之在《读通鉴论》里把反封建专制的意思说得婉转些，也明白指出专制主义是“为天子防其篡夺”。《黄书》里更谴责某些皇帝平日作福作威、鱼肉人民，但不能在必要的时候搞好国防，连跟玄驹保卫自己的巢穴都不能比。顾炎武的《日知录》，把改朝换代叫做“亡国”，民族屈辱叫做“亡天下”，说：“保国者，其君其臣肉食者谋之。保天下者，匹夫之贱，与有责焉耳矣。”这就连专制主义的基本教条所谓“君臣之义”，都抛开了。

反对封建专制主义和拥护封建专制主义是史学遗产中精华和糟粕相区别的一个重要的方面。此外，在历史思想上还表现为：① 人定胜天说跟命定说间的斗争。如班固宣扬董仲舒和刘向刘歆父子以阴阳五行解释历史的神秘的命定论，在《汉书》中写出《五行志》的专篇。而刘知几著《史通》，主张“论成败者，固当以人事为主。必推命而言，则其理悖矣”。他写出了《汉书五行志错误》和《五行志杂驳》两篇，用文献学的方法指出《五行志》对灾祥征应的牵强附会，指出《五行志》所持的论点跟所用以说明的史事间存在着互相矛盾。揭露了命定论的虚妄，实际上也就是揭穿了封建皇权的神秘的外衣。② 时势创造历史说跟英雄创造历史说的斗争。如《汉书》在《地理志》中说黄帝划野分州，建立万国，而秦“以为周制微弱，终为诸侯所丧，故不立尺土之封，分天下为郡县，荡灭前圣之苗裔，靡有孑遗”。这是把封建诸侯和设立郡县这样的大事，都取决于英雄人物（包含了圣王和暴君）的主观愿望。而朱敬则的《五等论》、杜佑的《通典》（卷三十一）、柳宗元的《封建论》以至顾炎武的《郡县论》，都是把封建诸侯和郡县设置归之于时势的可不可，而反对把它们说成是决定于英雄人物的愿不愿。英雄创造历史的说法有助于长封建统治者的威风，时势创造历史的观点有助于挫封建统治者的锐气。在时势创造说内，也有注意到政治上人心的向背的，也有根本看不到这一点的，虽都还说得很笼统，不能作具体的分析，已是历史上进步的东西了。③ 历史进化说跟是古非今和历史循环说的斗争。后两种观点是在正统史学家和一部分进步史学家中存在的。是古非今，一般尊崇二帝三王如圣如神，把他们的时代描绘成理想的黄金时代，这跟英雄创造历史，特别是圣王创造历史的观点相密切联系的。历史循环说，如三统说，五德终始说，分久必合、合久必分说，一治一乱说，若干年一大变、若干年一小变说，有很多的说法，这跟命定说也是有密切联系的。主张历史进化说者，如刘知几《史通》，有《疑古》篇，揭破古史所颂扬二帝三王之虚妄，认为是把他们的丑恶美化了。杜佑在《通典》（卷三十一）里宣称“欲行古道，势莫能遵”，并说“汉隋大唐，海内统一，人户滋殖，三代莫俦”。马端临的《文献通考》，特别是在食货各门里，注意社会历史的变革，划出变革的阶段并举出划分阶段的标志。后来，王夫之和章学诚也都有历史进化的观点而各有其具体的内容。历史进化说跟时势创造历史说，有时是密切联系的，它们有寻找历史发展规律的要求，但还不能科学地发现规律。

在历史编纂学上，精华和糟粕的区别，有时表现在客观的求实态度跟主观主义的褒贬的做法间的斗争。正统史学家一贯主张，历史书要寓褒贬、别善恶，而把封建伦理的教条作为衡量事物的标准。刘知几在《史通》里，反复驳斥“褒贬任情”的做法。郑樵在《通志·总序》中，把这种托始于《春秋》的一字褒贬的做法，称做“欺人之学”，以与五行迷信之为“欺天之学”相对待。他说这无益于真实的历史工作，“正犹当家之妇不事饔飧，专鼓唇舌，纵然得胜，岂能肥家！”

刘知几有《直书》和《曲笔》的专篇，申论了直书的主张，揭露了曲笔的丑恶，并叙述了前者对后者的斗争。曲笔有类于任情褒贬，而跟褒贬说还不相同。褒贬是在历史记载中强调封建伦理观点，对历史人物和历史事件作主观的抑扬，还不一定就要捏造历史。曲笔，有时也为了要符合一般伦理观念的要求，而更多的时候只是为了迎合当时权贵的好恶，于是就不惜混淆是非，捏造历史。当然，直书是优良传统，曲笔只能说是丑恶了。

历史编纂史上还有一家独断之学跟史局监修间的斗争。这本质上是中世纪的私学跟官学、著述自由跟学术垄断之间的斗争。史局监修，也有可以肯定的一面。它跟一家独断之学的矛盾，是在权贵垄断史局、包而不办的情况下展开的。刘知几《忤时》一篇，论史局监修有五不可，就说的是这种情况下的矛盾。

以上所说精华、糟粕和它们之间的斗争，只是就我所想到的列举出来。也许还有更重要的，因为我不知道，没有能够举出来。列举现象毕竟是一件比较简单、比较初步的工作。不只发现这些现象的发展规律是一系列的复杂的工作，而研究一个史学家的思想和著作，具体地分析其精华和糟粕，也要遇到复杂得多的情况。

在中世纪每一个史学家的历史思想上，总是有精华的一面，也有糟粕的一面。司马迁反对封建专制主义，这是精华的一面。但他相信循环说，这是糟粕的一面。因为他反封建专制主义是主要的方面、是突出的方面，他相信的循环说在《史记》里并不占重要的地位，因此他是一位进步的史学家，但因此我们也不应该看不见他的糟粕的方面。刘知几反对阴阳五行的神秘的迷信，但有时又不敢彻底否定，反表示一种存而不论的阙疑态度。他揭露封建统治阶级内部普遍存在的残酷斗争，但又眷恋于士族的社会荣誉。刘知几思想中的精华和糟粕，又不同于司马迁，而是在同一问题上有这一个方面，又有那一个方面。但也因为积极方面是主要的，他同样是一个进步的史学家。

史学史上也有这样的情况：一个学者在历史思想上是不可取的，而在历史编纂学上和史料学上有他的长处。司马光的政治历史和历史观点代表当时反动大地主的立场，《资治通鉴》是贯彻了这样的立场和观点的。但司马光为了提供有用的“资治”的材料，他的编纂工作是进行得认真的。他作了满两个屋子的长编，又作了说明材料取舍的《考异》，又作了详略不同的提挈纲领的《通鉴举要历》、《通鉴目录》和《历年图》。他又能集刘恕、范祖禹等人的专长，在他的主持下，修成一部首尾贯通的二百九十四卷的巨著。他的编纂方法和经验，仍然是值得我们借鉴的。阎若璩、毛大可之流曲学媚世，这没有什么可以说的。但他们的考据成果和考据方法，如果有可以吸取的地方，我们也可以在某一点上加以肯定。例如《古文尚书疏证》这部书，在解决《尚书》古文真伪的问题上，也还是对于我们有用的书。

史学遗产中的精华和糟粕，经常是糅杂在一起的。在很多的情况下，这种糅杂是泾渭分明，可以一目了然的。在很多别的情况下，或是红紫乱朱，或是沙里藏金，这就需要做更多的工作。

应该说，史学遗产中的糟粕，是很多的。我们说弃其糟粕，是说在遗产的继承上要丢掉糟粕，也并不排斥对于糟粕的利用。章学诚说：“古之糟粕可以为今之精华，非贵糟粕而直以为精华也；因糟粕之存而可以想见精华之所出也。”这句话说得有道理。精华和糟粕是相对的。把两者对比，就可以看出精华和糟粕来了。没有糟粕，也就无所谓精华了。同时，糟粕和精华，既有区别，又有联系。在研究中国史学发展过程的工作中，善于分析糟粕和精华在各方面的关系具有重要的科学意义和现实意义。

要百花齐放

解放以来，我们史学领域里开了不少的花，也有不少是含苞待放，不少是蓓蕾初成。如何东风齐着力，使史苑里万紫千红，这是我们史学工作者必须坚决在党的领导下早日实现的责任和光荣。我们要在整个史学领域内百花齐放，也要在这一领域的不同园地里百花齐放。对于史学遗产的研究工作，同样需要百花齐放。

对史学基本观点遗产的研究应该是第一个花圃，这里可以有三种花。第一种花是对历史观的研究。上文所说的思想内容，无论哪一家哪一派都属于历史观本身的范畴，这里不再多说了。分析批判各种不同的历史观，这是我们研究史学遗产时首先要担当起来的重要的工作。当然，过去无论哪一种历史观都不可能跟马克思主义历史观相比。但分析批判这形形色色的历史观，对于掌握历史理论的发展规律，锻炼我们的识别能力，丰富我们的理论，提高我们的水平，都是不可少的。

第二种花是对于历史观点在史学中的地位的研究。对于历史观点的注意，在中国史学史上是有悠久的历史传统的。《孟子·离娄篇》："其事则齐桓晋文。其文则史。孔子曰：其义，则丘窃取之矣。"义，就是观点。范晔自序，强调观点对史文的作用，说："以意为主，则其旨必见。以文传意，则其词不流。"他感慨于因识见之不同，而论议不能相投，说："此中情性旨趣，千条百品，屈曲有成理，自谓颇识其数。尝为人言，多不能赏，意或异故也。"刘知几以才学识为史家必具的三长，有类似于今人所说的文史哲的关系，而特别注意于"通识"的重要。章学诚继承刘知几而加以发展，在《文史通义·说林》篇中申论"志识"在史学工作中的作用，如说："文辞犹品物也，志识其工师也。橙橘楂梅，庖人得之，选甘脆以供笾实也。医师取之，备药毒以疗疾疢也。知此义者，可以同文异取，同取异用，而不滞其迹者矣。”又说：“文辞犹金石也，志识其炉锤也。神奇可化臭腐，臭腐可化神奇。知此义者，可以不执一成之说矣。”这对于观点驾驭史料的作用，说得是很中肯的。其他史学家有不少谈到这类问题的，在他们中间也有不同的意见。这是可以一一分析，给以批判的总结的。

第三种花是对史学工作的作用的研究。《易·大畜象辞》：“君子多识前言往行以畜其德。”这是一种看法。所谓“德”，当然有它的具体内容。《左传》昭公三十一年，“春秋之称……善人劝焉，淫人惧焉”。荀悦《汉纪》有五志：“一曰达道义，二曰彰法式，三曰通古今，四曰著功勋，五曰表贤能。”袁宏《后汉纪》，要“举义教所归，庶以弘敷王道”。一直到后来，朱熹编《通鉴纲目》，是要以史书作为封建伦理教科书。像这一类的看法，都可说是跟《易·大畜象辞》的看法是基本一致，而又各不相同、各有其特点的。

旧史家艳称春秋时期晋董狐和齐太史的直笔，不顾性命的危险，要按照史法办事。这实际上也反映对历史书的一种看法。这跟孟子所说“孔子作《春秋》而乱臣贼子惧”，是同样的观点，是以史笔作维护既有统治秩序的工具，而跟实事求是的直书有所不同。后来统治集团对于某些个忠臣孝子，动不动要宣付国史馆立传，更是从政治上去鼓励这种看法。

杜佑对史学的作用，另有一种看法。他说："所纂《通典》，实采群言，征诸人事，将施有政。"他注意的是历史变革对于封建政治的经验教训，而不是在伦理道德上的作用。司马光《资治通鉴》所以"资治"的方法，是跟《通典》相接近的。后来马端临作《文献通考》，这也是一部政书，但强调"考制度，审宪章，博闻而强识之，固通儒事也"，跟《通典》之强调"将施有政"，又有所不同。

研究这一个问题，对于理解史学跟政治的关系，有更直接的意义。

史料学遗产的研究和历史编纂学遗产的研究，是紧紧靠近第一个花圃的两个近邻花圃。这里的灌溉用水总是要取源于第一个花圃的。资产阶级学者总要把史料学说成是技术性的学问。诚然，这里有许多技术性的东西。但为什么我们要这样的史料，而不要那样的史料，为什么要这样解释史料，而不要那样解释史料，归根到底，总还是一个历史观的问题。尽管不同范围内的史料处理需要相应的专门知识，而这些专门知识在运用到史料学上的时候，总也是要跟实际工作者的历史观密切联系的。

我们的史料学遗产是丰富的。从司马迁起，就创造了某些优良的传统。在史料搜集上，他一方面整理了文献资料，“厥协六经异传，整齐百家杂语”，又一方面也注意了史迹和个人的访问。他曾在大梁访问魏国史迹，在曲阜访问孔子庙堂，在薛访问当地风俗，在楚访问屈原和春申君遗迹，在北边观察蒙恬所筑长城，在淮阴访问韩信逸事，在丰沛访问萧、曹逸事，在公孙季功处访问荆轲、夏无且逸事，并听取各地长老关于黄帝、尧、舜的传说。在史料的处理上，他常以来历明确的材料去反驳来历不明的材料。有时，他对不能明确的材料，采取保留的态度。有时，他也分析史料分歧的原因，又说：“世言苏秦多异。异时事有类之者，皆附之苏秦。”

史料学经过两千年的发展，史料的范围扩大了，处理史料的方法改进了，同时也有史料学的分支学科或姐妹学科先后出现。习惯上所谓目录学、校勘学、版本学、辑佚学、辨伪学、古文字学、古音韵学、古器物学、年代学、沿革地理、史源学以及甲骨学、金石学、敦煌学等，或是直接属于史料学范围，或是跟史料有密切关系，尽管这些名堂不一定各有自己可以独立的科学体系，它们的名称也不一定恰当，但已可反映我们史料学所接触到的方面之广了。

史料学工作，在表现形式上也是各色各样的。从史料的搜集、史料的校订到史料的考释，都各有其不同的形式。同是对史料的校订，吴缜的《新唐书纠谬》、《五代史记纂误》是专就一部史书所记史事错误进行校订的；刘攽的《西汉刊误》、《东汉刊误》是专就一部史书刊本上的伪误而进行校订的；裴松之注《三国志》是以对一部史书的正纰缪、辨当否，作为他的工作的一个构成部分来进行的；钱大昕的《二十二史考异》，是对于多种史书，既校勘了文字、纠正了记事的误谬，还另外解释了训诂名物的；阎若璩的《尚书古文疏证》是要证古文《尚书》之伪；崔述的《考信录》还要考出古史料之信。研究史料学在各方面的成果和各种不同的表达形式而给以总结，这对于建立马克思主义的史料学是必要的。

历史编纂学的遗产，也是同样丰富的。单就历史书的体裁来说，就很多。最古的史书流传下来的如《尚书》、《春秋》、《左传》、《国语》、《国策》、《世本》、《山海经》、《穆天子传》等书，一种书就代表一种体裁。《诗》中的《生民》等篇，可说是史诗。《庄子·天下篇》和《韩非子·显学篇》，可说是学术史。司马迁写《史记》，实综合已有的各种体裁而成。就《史记》之总的体裁说，司马迁创造了纪传体。就《史记》里的每一种体裁来说，又都是继承前人的。后来，著录家就史书分类，如《隋书·经籍志》史部分为十三类，《四库全书》史部分为十五类。章学诚《史考释例》和《史籍考总目》，分史籍为十二纲五十七目，其所据毕沅稿本的子目是一百一十二。著录家的分类，不是专就体裁分类的，但主要是按着体裁来分。尽管分类的标准也有不少可以商酌的地方，而我国史书可以分成好几十类是没有问题的。至少在这一点上，也可以看出来史书体裁的丰富了。

我们研究史书体裁，跟著录家不同，不能专从分类上着眼，更应该看到一种体裁的发展。比如就编年体来说，《春秋》只记有年月可考的史事，《左传》就不只记事，还要记言，不只记当年的事，还要于必要的时候或原其事之始，或要其事之终。荀悦撰《汉纪》，提出“通此其事，例系年月”，这是对编年体的一个重要发展。这八个字的内容，不只是要按年月把史事通通地安排起来，还包容有类比的办法。《汉纪》有时因记一个人而连类记载跟这人有关的人或同类的人，有时因记一件事而连类记载跟这事有关的事或同类的事，有时因记一个人的事而连类记载这人的其他的事。这样的做法，就大大地减少了编年体以年月局限记载范围的困难了。袁宏撰《后汉纪》，是编年史，同时也吸收了纪传史的长处，如记两汉之际豪杰并起和东汉末年的朋党，都是能不为年月的框子所局限住的。我们所熟悉的编年史巨著《资治通鉴》，这书同它的姐妹篇之间就有体裁上的发展。由《通鉴》到《通鉴目录》是一种发展，由《通鉴》到《通鉴考异》也是一种发展。由《通鉴》到《通鉴纪事本末》，是发展出来另外一种史书体裁了，由《通鉴》到《通鉴纲目》是在编年体内部也发展出来一种新的体裁。而由《通鉴纲目》到《纲鉴易知录》，也未尝不是在体裁上有所发展。研究史书体裁方面的遗产，批判地继承，对于我们写史书，在著作形式上的百花齐放，是有好处的。

在历史编纂学上，《史通》于史书体裁以外，曾提出断限、编次、题目、称谓、载文、载事、言语、叙事、品藻、鉴识等问题。像这一类的问题，或是就历史评论家已有的论述，或是就历史作家的著作，都可以进行研究。甚至于对过去史馆的组织、他们的工作经验，也可以研究。比如司马光修《通鉴》，以书局自随，以众手而成一部首尾贯通的巨著，他们的编写过程是可以研究的。又比如以前的史馆，如宋代史馆，设有监修、修撰、检讨、校勘、检阅、校正、编校等职。姑不问在实际工作上史馆可出现何种腐败情况，而这种制度上的分工也并不是不可以经过研究，取得有助于我们的借鉴的。《文史通义》外篇有一篇《唐书纠谬书后》，提到欧阳修如果在修《唐书》的时候，邀吴缜（《新唐书纠谬》的作者）“而付以检讨之职，责其复审之功，自能经纪裕如，必有出于当日史局诸人之上”。如果检讨是一个要作《纠谬》那样工作的职务，这在当前某些工程较大的集体编纂工作中，也还是必不可少的一种专职呢。

“言之无文，行之不远”。讲究历史编纂学，就不能不讲究历史文学。但历史文学不是历史编纂学所能包括得了的。历史文学遗产的研究，可以另辟一个花圃了。

自《左传》作者以下，大史学家往往就是大文学家。《左传》、《史记》和《通鉴》对于战争的记载，是大家所熟知的。《左传》记长勺之战、城濮之战、崤之战、鞌之战、鄢陵之战，《史记》记楚汉间的战争，《通鉴》记赤壁之战、淝水之战、李愬入蔡州之役，都写得栩栩如生，使读者如置身于行伍沙场上。更重要的，不只是对于情况的记述写得生动，而是大史学家能在情况记述中有意识地但又自然地表达出来他的思想倾向性，不一定在此以外再加上些什么评论。《日知录》卷二十六：“古人作史，有不待论断而于序事之中即见其指者，惟太史公能之。《平准书》末载卜式语，《王翦传》末载客语，《荆轲传》末载鲁勾践语，《晁错传》末载邓公与景帝语，《武安侯田蚡传》末载武帝语，皆史家于序事中寓论断法也。”从大史学家的作品中直接研究这样的优良传统，这是研究历史文学遗产的一个方面。我们还可以从史学评论著作，如《史通》、《文史通义》等书中研究关于历史文学的理论和经验，也可以从史学家对文学家和文学作品的评述，如各史文学家传所表达的，研究史学家对文学的观点。还可以从文学评论家，如刘勰《文心雕龙》等书，研究他们对写历史的看法。这是关于研究历史文学遗产的另外的三个方面。

史学遗产的研究还可以开辟第五和第六花圃。第五个花圃是关于各个历史问题的前人已有成果的研究。如关于历史阶段的研究、土地制度史的研究、水利史的研究、乡党版籍史的研究、国家起源的研究、政权机构史的研究、学校制度史的研究、史学史的研究等等。资产阶级的学者把过去的一切历史著作都叫做史料，说我国过去只有史料而没有历史，这是很片面的看法。当我们利用前人已有的成果时，这些成果都可成为我们进行研究的史料。但就过去某些史学著作跟原始史料的关系来说，他们有的是整理了原始史料而作出了有系统有体系的历史著作，有的也进行了对历史的某一部分或某一专题的研究。他们是怎样进行研究的，他们曾经达到了怎样的结论，这是我们应该关心并进行研究的，这对于我们今天进行同一问题或有关问题的研究是有帮助的。我们不应该把前人的研究成果，简单地看做史料，而应该看做值得研究的观点或意见。

第六个花圃是对于史学家和史学著作的研究，这个花圃里的花，在品种方面基本上是由上列几个花圃中的品种选择集合而成的，只是在经营管理的方式方法上跟以上各姐妹花圃有所不同。因此，我就不想在这里多说了。由于近年有了古籍整理出版的专设机构，史学名著的整理工作正在逐步开展。整理史学名著，总也多半离不开对史学家的研究，因而后一工作也可能相应地有所开展。今年是刘知几诞生一千三百周年，郑樵逝世八百周年。通过纪念这两位史学家的活动来推动对史学家研究的工作，这是一个很好的机会。

这里，我还想提一提历史启蒙书的遗产。章学诚的《史籍考总目》里列有史学部，其中分为考订、义例、评论、蒙求四类，而蒙求也跟以上三类一样，占有一卷之多。究竟有多少启蒙书的遗产，我们知道的还不多。以我个人的经验来说，童年读《三字经》，其中对于历史的简单口诀，迄今记忆犹新。如何对幼年一代进行历史知识的教育，有什么行之有效的方式，还是不妨在遗产中看看有无可借鉴之处的。

最后，史学遗产的研究不只在内容上要分门别类，百花齐放，在表达形式上也要像我们的繁富的史书体裁，各式各样，百花齐放。写论文、写系统的专门论著当然很好，写札记，写随笔，写举例体、书翰体、问答体、序跋体的东西也很好。编集原始资料成为一书是可以的，剪裁原始资料如袁枢之编《通鉴纪事本末》的办法也未尝不可。注，可以用脚注，有文后附注，也可以有文内夹注、行间旁注、另行单注等。评，可以有对某书的总评，有对一文一节的分评，有文上眉批，有行间旁批等。图、表、谱、录、书目、索引、歌诀，也都可以有各种不同的形式。形式多了，不是为形式而形式，不是贪图表面的热闹，而是为了更好地表达内容，为了针对研究对象的不同情况和读者的不同要求而把内容表达得更充分些、更活泼些，同时也为了作者和研究工作者能更方便地发挥他们在学风、文风上的某些特点和专长。这样，形式上的百花齐放跟内容上的百花齐放紧密地联系起来，就更能促进史学遗产研究领域里的万紫千红。

要百家争鸣

百家争鸣跟百花齐放也是紧密地联系的。花开得越多，就越便于更多的争鸣。鸣得越好，花也就开得越好。在史学遗产的研究工作上，既可以开大量的花，也必然有不少问题是值得争鸣的。我们可以提出新问题来争鸣，也可以把久已提出而没有解决的问题来争鸣。

从比较具体的问题来说，对现已逝世八百周年的史学家郑樵[①] 的评价就一直是一个有争论的问题。

《宋史·儒林传》首先讥郑樵“博学而寡要”。马端临的《文献通考》，对郑樵的《通志略》有较详的著录。他在“会通”这一观点上，实际也继承了郑樵的优良传统。但在评论这书的时候，只称许“《氏族》、《六书》、《七音》等略考订详明，议论精到”，而对于全书则送了“疏略”和“不堪检点”等六个字的考语，内容包含了记载简略、天宝以后南宋以前史事的缺如和对旧史史文的因袭等三点。清代汉学家大抵接受马端临的见解，而连马端临所称许的《六书》、《七音》等略也并不恭维。

跟上述的意见不同，章学诚很推重郑樵，在《文史通义》中专为郑樵写了一篇《申郑》和三篇《答客问》，并

① 按郑樵《夹漈遗稿》有投宇文枢密书，称樵生二十有四年。时为靖康元年（1126年），宇文虚中于是年签枢密院事，仅一个月左右，见《宋史㊃钦宗本纪》。而樵年五十九，见《宋史》本传。张须《通志总序笺》，依此推定樵生于崇宁二年（1103年），卒于绍兴三十一年（1161年），可信。或作樵卒于绍兴三十二年（1162年），或作卒于隆兴元年（1163年），均误。

在《释通》篇列《通志》为通史的冠冕，说：“总古今之学术而纪传一规乎史迁，郑樵《通志》作焉。统前史之书志而撰述取法乎官礼，杜佑《通典》作焉。合纪传之互文而编次总括乎荀袁，司马光《资治通鉴》作焉。汇公私之述作，而铨录略仿乎孔（孔逭）萧（萧统），裴潾《太和通选》作焉。此四子者，或存正史之规（《通志》），或正编年之的（《通鉴》），或以典故为纪纲（《通典》），或以词章存文献，史部之通于斯为极盛也。”他认为《通志》的精要在于有自成一家言的义例，而考据的疏略并不能算郑樵的什么毛病，因袭史书旧文也没有什么可以大惊小怪的。他说：“郑樵生千载而后，慨然有见于古人著述之源而知作者之旨，不徒以词采为文、考据为学也。于是遂欲匡正史迁，益以博雅，贬损班固，讥其因袭，而独取三千年来遗文故册，运以别识心裁。盖承通史家风而自为经纬，成一家言者也。学者少见多怪，不究其发凡起例、绝识旷论，所以斟酌群言为史学要删；而徒摘其援据之疏略、裁剪之未定者，纷纷攻击，势若不共戴天。古人复起，奚足当吹剑之一吷乎！若夫二十略中，《六书》、《七音》与《昆虫草木》三略，所谓以史翼经，本非断代为书可以递续而不穷者比，诚所谓专门绝业，汉唐诸儒不可得闻者也。创条发例，巨制鸿编，即以义类明其家学。其事不能不因一时成书，粗就隐括，原未尝与小学专家特为一书者挈长较短，亦未尝欲后之人守其成说，不稍变通。夫郑氏所振在鸿纲，而末学吹求则在小节，是何异讥韩（韩信）彭（彭越）名将不能邹鲁趋跄，绳伏（伏生）孔（孔安国）巨儒不善作雕虫篆刻耶？”很显然，章学诚跟马端临等在意见上的分歧，主要是由于看问题的角度不同。章学诚并没有否认考据家所指的郑樵的缺点，但他认为这样的缺点对郑樵说来是不必加以指摘的。章学诚在所著《校雠通义》中，有《补郑》及《郑樵误校汉志》两篇，他在这里发展了郑樵《校雠略》中的论点，但同时也指出了“疏漏”的地方。

近人对郑樵的看法也有两派不同的意见。章炳麟《史学略说》讥郑樵抄袭史传，且不知反切之学和三十六字母本末之序。金毓黼先生《中国史学史》说郑樵力不副心，漏略百出，且语多袭旧，迹不可掩。他们的意见基本上还是清代考据家的意见，这是一派。梁启超《中国历史研究法》说：“吾侪固深赞郑章之论，认通史之修为不可以已；其于樵之别裁精鉴，亦所心折。虽然，吾侪读《通志》一书，除二十略外，竟不能发见其有何等价值。……然仅二十略，固自足以不朽。史界之有樵，若光芒竟天之一彗星焉。”魏应麒先生《中国史学史》，列郑樵为专章，称许他“著述既富，识见又卓”，说“郑樵于史学之贡献最大者为主张通史之体”，说他“以详文该事为自见褒贬美刺之法，可谓千古特识”。他们的意见有接近章学诚的地方，而跟章学诚的见解又不完全一样。这可以说，又是一派。顾颉刚先生的《郑樵传》（《国学季刊》第一卷第二期）说郑樵“做学问要像持军一般有部伍的法子，要像治狱一般有核实的法子，这就是极明白的科学观念”，“郑樵的真学问原不在精上，也不在博上，乃在‘部伍’‘核实’的两个方法上”。这也是推许郑樵，但另是一种看法。

郑樵是一个大著作家、大史学家，他的二百卷《通志》是有名的史书。这都是值得评价的。但究竟应该怎样具体地评价他在史学史上的地位、怎样具体评价《通志》这部书，是需要通过争鸣来逐步解决的。过去对郑樵评价的分歧，正好是我们争鸣的资料。我们决不要局限在过去的争论中，但可以过去的争论作我们争鸣的开端。我们现在可以利用这些争论的资料来开展我们的工作，将来也可因追究这些分歧意见的来源而在一定程度上辨认出来某些有关的史学流派的面貌。

现在，从基本的理论问题来说，如马克思主义出现以前是否有唯物主义历史观，就是一个曾经争鸣过、现在还可以继续争鸣的问题。

有人认为，马克思主义出现以前，所有的历史观都是唯心主义的，在历史观方面只有进步思想和保守思想的斗争，革命思想和反动思想的斗争，而没有唯物主义和唯心主义的斗争。也有人认为，马克思主义出现以前也有唯物主义的历史观，但都是片面性的、机械的或者庸俗的，而在历史观方面也存在唯物主义和唯心主义的斗争。还有人认为，司马迁已“树立起素朴的唯物论基础”，并且他根据“这种进步的和科学的观点，与当时统治阶级的麻痹人民的唯心论思想从各方面展开有力的斗争”。

跟上述这几种意见不同，有人认为：在马克思主义出现以前，历史观方面是唯心主义占统治地位，这时并没有作为体系的历史唯物主义，但也并不排斥有历史唯物主义的因素；这时在社会领域内没有作为路线的唯物主义和唯心主义的斗争，但存在着某些问题上的唯物思想和唯心思想的斗争。

在关于马克思主义出现以前历史观方面所存在的唯物主义或唯物主义因素的具体内容，有人认为，地理决定论和人口决定论也是从社会生活的物质条件说明历史的变化，虽然是不正确的，但可以说是片面的，是机械唯物主义或庸俗唯物主义。跟这种意见相反，有人认为，地理环境和人口只有当它们是和物质生活的生产方式联系在一起的时候，才能作为社会存在的一个构成因素。当它们被单独地抽出来，而离开了生产方式，就根本不是什么社会存在，不是什么社会生活的物质条件了。地理决定和人口决定的观点根本没有对社会本身作唯物主义的解释。这些同志们认为，历史唯物主义因素跟历史主义的不同，是因素和体系的差别，它也要解决社会存在和社会意识的问题，但只是发现了或者猜测到了某些属于唯物主义的东西，而在整个历史观体系上，归根到底还不是唯物主义而是唯心主义。

恩格斯在《在马克思墓前的讲话》中说："马克思发现了人类历史的发展规律，即历来为繁茂芜杂的意识形态所掩盖着的一个简单事实：人们首先必须吃、喝、住、穿，然后才能从事政治、科学、艺术、宗教等；所以，直接的物质的生活资料的生产，因而一个民族或一个时代的一定的经济发展阶段，便构成为基础，人们的国家制度、法的观点、艺术以至宗教观念，就是从这个基础上发展起来的，因而，也必须由这个基础来解释，而不是像过去那样做得相反。"[①] 马克思"在整个世界史观上实现了变革"[②]，是这样完备这样彻底的唯物主义。并且他不停留在这里，"在马克思看来，科学是一种在历

① 《马克思恩格斯选集》第3卷，人民出版社1972年版，第574页。

② 同上书，第40页。

史上起推动作用、革命的力量”[①]。我们说，马克思主义出现以前没有历史唯物主义，是否从这样具体内容上去理解会更全面些呢？在人类的历史上曾经有过什么样的历史观能具有这样的性质、这样的面貌呢？

历史唯物主义的发现也有自己的历史过程。恩格斯在《路德维希·费尔巴哈和德国古典哲学的终结》中说：“自采用大工业以来，就是说，至少从1815年签订欧洲和约以来，在英国，谁都知道，土地贵族（landedaristoracy）和资产阶级（middle class）这两个阶级争夺统治的要求，是英国全部政治斗争的中心。在法国，随着波旁王室的返国，同样的事实也被人们意识到了；复辟时期的历史的，从梯叶里到基佐、米涅和梯也尔，总是指出这一事实理解中世纪以来法国历史的钥匙。”[②]恩格斯在1894年致施塔尔根堡的信里，也说道：“如果说马克思发现了唯物史观，那么梯叶里、米涅、基佐以及1850年以前英国所有的历史学家，就证明已经有许多人都力求做到这一点。”[③]这些历史家在马克思主义出现以前，知道了

①《马克思恩格斯选集》第3卷，人民出版社1972年版，第575页。
②《马克思恩格斯选集》第4卷，人民出版社1972年版，第245~246页。
③《马克思恩格斯书信选集》，人民出版社1972年版，第518页。

阶级，知道了阶级斗争，是否可以说他们的历史观在这一点上已有了唯物主义因素呢？

列宁在《哲学笔记》中有三处说到费尔巴哈《宗教本质讲演录》中有“历史唯物主义的萌芽”或“历史唯物主义的胚芽”。其中有一处，是因为费尔巴哈这样说的：“历史上的新时代是什么时候开始的呢？到处是在被压迫群众或大多数人提出自己完全合理的利己主义去反对民族或等级的极端的利己主义的时候开始的，是在各阶级或全民族战胜了少数统治者的狂妄自大，摆脱了无产阶级悲惨的、受压迫的状况而进入具有历史意义的光辉活动的领域的时候开始的。”列宁在同一书中有两处提到黑格尔的“历史唯物主义的萌芽”，其中有一处是因为黑格尔说了这样的话：“人因自己的工具而具有支配外部自然界的力量，然而就自己的目的来说，他却是服从自然界的。”列宁在另外一处说黑格尔“这里有一个非常深刻、正确、实质上是唯物主义的思想”，他并且在括号内注明“现实的历史是意识所追随的基础、根据、存在”①。列宁提出“萌芽”、“胚芽”和“实质”来，是否比我们所谓“因素”要更

① 以上见《哲学笔记》，人民出版社1956年版，第49、53、174~175、242、269页。

合适些呢？按照他所说的“萌芽”等的具体内容，是否可以把我们提出的问题解决得更确切些呢？您看，他说的是什么呢？他说的难道不是革命的阶级斗争，不是主观世界服从客观世界而又支配客观世界，不是意识以现实历史为基础吗？他不是没有谈到地理环境和人口多少等吗？

马克思主义出现以前有没有历史唯物主义，不是一个简单的问题，我们还没有搞得很清楚。经典作家所指出的“历史唯物主义的萌芽”，都是采用大工业生产以后的历史现象。在此以前，比如在封建社会或更早的奴隶社会，是否也可以有这样的萌芽呢？如果中国封建社会已有了这样的萌芽，是在什么历史条件之下产生的呢？这些问题都不是一下子说得清楚，需要从长讨论的。

在具体问题上和在基本理论问题上，随着百花的齐放，当不断地有新的东西被发现出来，需要争鸣，进行解决的。这里我只提出来两个问题，作为史学遗产工作方面争鸣的引子吧。

因为史学遗产工作，需要经常地跟大量古籍接触，而我们的马克思主义世界观还很难说已建立到什么程度，随时可能滋长旧的思想或重新又受到古籍中的某些不良影响。我们必须警惕，要在这种工作中锻炼自己，而不是要让这种工作吞没自己。

在史学遗产工作的争鸣中也必然有两种世界观的斗争。这是客观存在的反映，想避免也是避免不了的。正确的态度，不是要避免这种斗争，而是要坚持这种斗争，既要通过论争改造自己的错误观点，也要通过论争帮助别人改造我们的错误观点。目的只有一个：繁荣马克思主义史学，为社会服务。当然，学术论争在任何情形下也不允许简单粗暴，乱扣帽子，这都是不必顾虑的。

本文的题目，范围大，问题多。我只能把粗浅的感想谈谈而已，希望能起点抛砖引玉的作用。

1961 年 3 月 5 日夜

（原载《学步集》，人民出版社 1962 年版，

文中所引马克思、恩格斯的话，按新译本作了订正）

谈史学遗产答客问

时间：1981年1月

地点：北京师范大学史学研究所

来客：客甲、客乙

客甲：我读过您的《谈史学遗产》，感到中国的史学遗产很丰富，您是不是可以另外多谈一点？

答：那篇文章是1961年3月间写的，到现在差不多二十年了。这些年，关于这方面的问题也不断想过，感到可谈的问题很多，不过下工夫研究过的问题还是很少的，我的一些想法也不一定对。

史学在我国有长远的历史，我国最早的知识分子就是史学家。在殷商时代，那些管占卜的贞人就是最早的知识分子，也是最早的历史家。我国最早的知识宝库，包括宗教迷信的和科学的，都掌握在这些人手里。我国有一个要求博学的史学传统。《汉书·司马迁传》赞说："自古书契之作而有史官，其载籍博矣。"这就是说，有了文字就有史官，所有的记载都集中在他们那里，他们是当时最有学问的人。我国古籍流传下来的，如《尚书》，如《诗经》，如《周易》，如《春秋》，都属于史官的职掌。司马迁论战国和汉初的学术说："铎椒为楚威王傅，为王不能尽观春秋，采取成败，卒四十章，为《铎氏微》。赵孝成王时，其相虞卿上采春秋，下观近世，亦著八篇，为《虞氏春秋》。吕不韦者，秦庄襄王相，亦上观尚古，删拾春秋，集六国时事，以为八览、六论、十二纪，为《吕氏春秋》。及如荀卿、孟子、公孙固、韩非之徒，各往往捃摭春秋之文以著书，不可胜纪。汉相张苍历谱五德，上大夫董仲舒推春秋义，颇著文焉。"这些著作都包含了大量历史，采取了历史的资料，研究了历史的问题，结合了当代情况而写成的。司马迁的八书，《汉书》的十志，还有一些列传，论述了很多专门的学问，其中包含天文、地理、水利、社会经济、军事、法律、学术流派，以及医药、宗教迷信等。一个历史家要具备渊博的知识，并且在这些知识领域里有相当深度的理解，这是我国史学的优良传统。近代科学分工分得细了，不能要求一个历史家懂得很多学科，但是也绝不能说一个历史家只有一点历史知识就行了。现在，我们的高等学校历史系，主要课程还只是中外历史的八大块，不要说在自然科学方面的知识很缺乏，就是对于哲学、文学的接触也很少，甚而至于一个教师只能教一段历史，有的还只能教一章一节。我们是20世纪80年代的人，比起两千年前的历史家来，在知识渊博方面应该超过他们，不应该比起他们来还显得抱残守缺。我们过去的这样一个优良传统，我看今年还是要宣传，要继承，要发扬。

史学遗产可谈的很多，有关于历史观点的，有关于历史文献学的，有关于历史研究对象的，有关于历史编纂学的，有关于历史文学的，咱们一下也谈不完，今天咱们先谈哪些呢？

客甲：先谈谈关于历史观点方面的问题好不好？

答：关于这个问题，多年以来我们有个看法，认为马克思主义以前，历史观点都是历史唯心论，好像是一无可取。前几年，我们在中华书局搞“二十四史”的标点工作。每一部史书在出版的时候，照例要写一篇出版说明。在出版说明里，总要说说为什么要出这部书，首先就要说说历史观点。这差不多都要指出来作者的思想是英雄史观，是以帝王将相为历史的创造者，是诬蔑农民起义和劳动人民，是历史唯心论。这就是说，作者的历史观点是不足取的。但是，为什么要出版这部书呢？出版说明的笔锋一转，接着就说，这部书在史料上如何有价值。这种写法差不多成为出版说明的一般公式。按照这种写法，“二十四史”只能是二十四部史料书，再没有其他的价值了。但这是不符合实际的。“二十四史”，固然给我们留下了大量的历史资料，还给我们留下了不少的思想资料，留下了观察历史的方法，留下了写历史的方法，留下了许多专门知识。从历史观点来说，在“二十四史”里，在别的很多史书里，在不少有关史事论述的书里，都还是有进步的观点、正确的观点，可以供我们参考、吸取和发扬的。

在关于历史观点方面，我想到的有关于历史进程的看法，关于地理环境的看法，关于社会经济的看法，关于得失成败的看法，关于有民主思想内容的看法。另外，总还有一些问题，是我还没有想到的。

客甲：是不是请您按次序给我们一个一个地说说？先谈谈关于历史进程的看法好吗？

答：所谓历史进程，按现在习惯的说法，是说历史发展过程。因为有的人不承认历史是发展的，所以用历史进程的提法更好些。如董仲舒说“天不变，道亦不变”，这就是认为历史是永恒不变的，不是发展的。有人承认历史是在变，但还没有进化的思想。也有人有进化的思想，但还没有明确的质变的思想。这些我们都可以不必细谈了。现在只想就“势”和“理”的观点谈一谈，这是关系到对历史规律性的了解的。

按《韩非子·难势》所说，势的概念在慎到的时候就已经提出来了。慎到把贤智跟势位对立起来，说“贤智未足以服众，而势位足以诎贤者”。韩非子吸收了慎到的思想，很重视势的作用，他所谓“贤势之不相容”，同上引慎到的话是一个意思。前些年，一些讲儒法斗争的文章，把势说成是必然性，这是把势的原意夸大了。慎到、韩非所说的势，就是我们平常所说的势力，这里是指权力。有的同志把它解释为政权，我看是可以的。《史记·汉兴以来诸侯年表·序》说：“天子微，弗能正。非德不纯，形势弱也。”“形势虽强，要之以仁义为本。”又说到“强本干弱枝叶之势”。这里所谓势和形势，也都指的是现实权力，是现实性的东西，不是必然性的。《后汉书》的《党锢列传·序》和《宦者列传·序》是论当时形势的名篇，其中又有提到“不得不”的地方，这也是讲现实的情况，还提不到必然性上。但这里提到了理的概念。如说：“夫上好则下必甚，矫枉故直必过，其理然矣。”又说：“假仁以效己，凭义以济功，举中以理，则强梁褫气。”第一个“理”字有必然性的味道，但尚提不到历史发展规律的高度。第二个“理”字，就是另外一个意思，指的是道德规范，不属于我们讨论的范围。

柳宗元的《封建论》说："彼封建者，更古圣王尧舜禹汤文武而莫能去之。盖非不欲去之也，势不可也。"这个"势"字，差不多跟我们今天所说"形势大好"之"势"，意思相同，是说事态发展的情况。柳宗元把势跟"欲"对立，是说在"封建"这个问题上，客观的形势是不能以主观的意愿去改变的。顾炎武在《郡县论》中说："知封建之所以变而为郡县，则知郡县之敝而将复变。……有圣人起，寓封建之意于郡县之中，而天下治矣。"顾炎武的看法比柳宗元更进一步，认为客观形势固然重要，但在形势要起变化的时候，还有待于人力的促成，而人不能安坐以待其变。这种看法，就比柳宗元的看法要周到一些。

王夫之在《读通鉴论》的开卷，说："郡县之制垂二千年，而弗能改矣，合古今上下皆安之。势之所趋，岂非理而能然哉？"在对郡县的看法上，王夫之认为二千年弗能改，而不重视郡县之弊，这不如顾炎武高明。但他在这里提出了"势"和"理"的关系，可以说是前无古人的。他这里是把形势的发展，看做是受理的支配。他虽然还远远谈不到对历史规律的具体分析，但已看到历史进程是有必然性的规律的。他在《读四书大全说》卷九，说："言理势者，犹言理之势也，犹凡言理气者谓理之气也。"说："迨已得理，则自然成势，又只在势之必然处见理。”这段话把“理”和“势”的关系，就说得更清楚。他以理势跟理气相比，这个理是唯物的，不是程朱学派的理。侯外庐同志在《中国思想通史》第五卷第二章第八节对王夫之的历史观点分析得很好，可以参考。

自慎到、韩非以后，说势，说理，不尽相同，但对于社会现象、历史现象的观察，都是从客观的现实出发，是有唯物主义因素的。我想，这可以说是历史唯物主义的萌芽。研究这种萌芽的思想，对于史学遗产的理解，有重大的意义。这种萌芽的思想有这样悠久的历史，为什么不能发展成为历史唯物主义的思想体系，这是一个很有理论意义的问题。

客乙：形势，是否还有别的意义，如说“地理形势”之类?

答：顾炎武有《形势论》，就是专从地理上讲的。《汉书·艺文志》于兵家著录“兵形势十一家，九十二篇，图十八卷”，并说：“形势者，雷动风举，后发而先至，离合背向，变化无常，以轻疾制敌者也。”这些话不好懂，似是说利用地理形势以制敌取胜。所著录的图，可能就是地理形势图。这只是我的猜想，不敢说是否符合《汉书·艺文志》的原意。但从传说的历史观点说，中国有不少史家是注重地理条件的。现在我们的谈话，是否就可以转到地理环境方面去谈谈。

客甲：这些年，我国史学界不大谈地理环境，主要是怕犯地理环境决定论的错误。实际上，这是由于对斯大林著作的误解。

客乙：对了。斯大林在《联共党史》四章二节说地理环境绝不能成为社会发展的重要原因，主要原因，但是同时又说“地理环境当然是社会发展的经常必要的条件之一，而且它无疑是能影响到社会的发展，加速或延缓社会发展的进程”。应当全面理解斯大林的意思，您看对不对？

答：我同意您的意见。斯大林认为地理环境不能起主要的、决定的作用，这是正确的。他认为，地理环境是必要条件之一，这也是正确的。而且斯大林认为地理环境还是“经常必要的条件之一”，说“必要”，还说“经常”，可见他对地理环境的重视。这些年，不少人因误解斯大林的话，反而不敢谈地理环境，这是在学习和研究工作上很不应该有的错误。

近来读到史念海同志《河山集》二集排版的清样，这本书用大量的材料论述了黄河因中下游的侵蚀、下切和淤积而引起的各种地理条件的变化。作者认为不了解这种变化就不好谈有关地区社会经济的发展。这本书深深地打动了我，使我考虑历史进程中地理环境的问题。

黑格尔有关于地理环境的详细论述。他提出了“历史的地理基础”这个概念。他按着地理特征，把世界区分为三种类型。第一种是干燥的高地同广阔的草原和平原；第二种是平原流域，是巨川、大江所流过的地方；第三种是跟海相连的海岸区域。跟这三种不同的地理特点相适应，居住着不同文化情况的人民。他说："在寒带和热带上，找不到世界历史民族的地盘。"他认为，在极热和极寒的地带，人们不能做自由的运动，人们时时刻刻被迫着当心自然，当心着炎日和冰雪，没有力量向更高的方面发展。他关于水的论述，是很有趣的。他说："结合一切的，再也没有比水更为重要的了，因为国家不过是河川流注的区域。"他又说："大海给了我们茫茫无定、浩浩无际和渺渺无限的观念；人类在大海的无限里感到他自己的无限的时候，他们就被激起了勇气，要去超越那有限的一切。大海邀请人类从事征服，从事掠夺，但是同时也鼓励人类追求利润，从事商业。平凡的土地、平凡的平原流域把人类束缚在土壤上，把他卷入无穷的依赖性里边，但是大海却挟着人类超越了那些思想和行动的有限的圈子。"这些话很可以给我们启发，使我们对于中国历史和西欧历史之不同特点的理解有所帮助。我们在大陆上居住的人，很难对水有这样的看法。我们的《周易》总是要说"利涉大川"和"不利涉大川"，对于水怀一种害怕的心情。黑格尔的这些论述都见于他的《历史哲学》。他是一个历史唯心论者，但他关于地理环境的论述还是好的。他也并不想把地理环境的作用抬得过高，他曾说：“我们不应该把自然界估量得太高或者太低。爱奥尼亚的明媚的天空固然大大地有助于荷马诗的优美，但是这个明媚的天空绝不能单独产生荷马。而且事实上，它也并没有继续产生其他的荷马；在土耳其统治下，就没有出过诗人了。”

马克思在讲劳动过程的简单要素的时候，以劳动对象为简单要素之一。劳动对象，主要是自然条件。马克思对自然条件和劳动生产是辩证地看的。他在《资本论》第一卷第十四章说：“资本主义生产方式以人对自然的支配为前提。过于富饶的自然‘使人离不开自然的手，就像小孩子离不开引带一样’。它不能使人自身的发展成为一种自然必然性。资本的祖国不是草木繁茂的热带，而是温带。不是土壤的绝对肥力，而是它的差异性和它的自然产品的多样性，形成社会分工的自然基础，并且通过人所处的自然环境的变化，促使他们自己的需要、能力、劳动资料和劳动方式趋于多样化。社会地控制自然力以便经济地加以利用，用人力兴建大规模的工程以便占有或驯服自然力——这种必要性在产业史上起着最有决定性的作用。如埃及、伦巴第、荷兰等地的治水工程就是例子。或者如印度、波斯等地，在那里人们利用人工渠道进行灌溉，不仅使土地获得必不可少的水，而且使矿物质肥料同淤泥一起从山上流下来。兴修水利是阿拉伯人统治下的西班牙和西西里岛产业繁荣的秘密。”马克思在《不列颠在印度的统治》和《不列颠在印度统治的未来结果》这两篇名文中，还特别提到了灌溉和水利工程对东方国家农业生产上的重要作用，对这些国家执行社会职能的重要意义。按照马克思的论述，土壤、气候、河流、森林、金属、煤炭等，都属于自然富源。当它们和生产劳动结合起来的时候，就会形成不同程度的生产力。我们的史学工作者，对于这些方面是注意得很不够的。

恩格斯在《劳动在从猿到人转变过程中的作用》中提出了“劳动创造了人本身”这个著名的科学论断，这是我们大家都知道的。但是，在这句话的上面，恩格斯还说了两句话。他说：“政治经济学家说：劳动是一切财富的源泉。其实，劳动和自然界一起才是一切财富的源泉，自然界为劳动提供材料，劳动把材料变成财富。”我们对这两句话也是不应该忘记的。

客乙：前些天，我在去年十月号的《哲学研究》上看了一篇普列汉诺夫地理环境学说的文章，觉得普列汉诺夫的说法有很丰富的内容。

答：过去，有人指责普列汉诺夫对地理环境在社会发展中的作用有某种夸张，指责他曾经说过生产力的发展决定于地理环境的特性。但是，他关于地理环境的论述确实有很精辟的地方。他认为，地理环境是通过生产力的发展而给社会带来了影响；在不同的社会发展的阶段中，地理环境起了不同的作用；社会越向高级发展，地理环境的作用就越减少。他在《唯物主义史论丛》中说："社会人和地理环境之间的相互关系，是出乎寻常的变化多端的。人的生产力在它的发展中每进一步，这个关系就变化一次。因此，地理环境对社会人的影响在不同的生产力发展阶段中产生着不同的结果。但是人与人的居所之间的关系的变化并不是偶然的。这些关系在他们所产生的后果中构成一个有规律性的过程。要辨明这个过程，必须首先考虑到，自然环境之成为人类历史运动中一个重要的因子，并不是由于它对人性的影响，而是由于它对生产力发展的影响。"这一段话是很值得我们学习的。

我国历史家、思想家关于地理环境的论述比较缺乏，但并不是不注意这个问题。《史记·货殖列传》按照各地物产的特点，区分为山西、山东、江南和北方四个地区，并指出："原大则饶，原小则鲜。上则富国，下则富家。贫富之道，莫之夺予，而巧者有余，拙者不足。故太公望封于营丘，地泻卤，人民寡，于是太公劝其女功，极技巧，通鱼盐，则人物归之，繦至而辐凑。故齐冠带衣履天下，海岱之间敛袂而往朝焉。"司马迁是既注意了各地天然财富的差异，又注意到人对地理环境的利用和改造以及它们在经济上和政治上产生的影响。在同一篇文章里，司马迁论述了关中、三河、燕赵、齐鲁、越楚等地区在地理环境上的特点以及它们对当地人民经济生活和风俗上的影响。司马迁还写了《河渠书》专篇，论述了灌溉和水利工程的重要性，以及兴水利、防河患对封建统治者的重要意义。他说到战国末年秦国开渠的故事，说到一个大渠的完成，改善了关中的土壤，提高了单位面积的农业产量，因而秦国得以富强，并导致合并六国的效果。班固修《汉书》，继承了司马迁在这方面的工作，在《地理志》和《沟洫志》里作了更为完整的记录。后来的史家，对于地理环境不断有所论述，但没有多大的发展。明清之际，顾祖禹著《读史方舆纪要》，主要是从政治、军事方面论述地理形势的专书。顾炎武著《天下郡国利病书》，从政治、经济、军事各方面收集了大量的材料，用以观察各地区的情况。这部书并没有正式完成，只留下了大量的稿本。中国历史家对于地理环境虽缺乏系统的论述，但在思想上，是注意到了地理环境对社会发展是有影响的。这也是我们史学的宝贵遗产，还有待于我们好好地挖掘。上引黑格尔的有关论述，马克思、恩格斯以及普列汉诺夫的论述，都可以帮助我们研究这方面的问题。

客甲：关于社会经济条件的作用，我国古代的思想家、政治家似乎都很注意，包括唯心主义者在内，也是这样的。《论语》上记："子适卫，冉有仆。子曰：庶矣哉！曰：既庶矣，又何加焉？曰：富之。既富矣，又何加焉？曰：教之。"又记孔子说："足食，足兵，民信之矣。曰：必不得已而去，于斯三者何先？曰：去兵。必不得已而去，于斯二者何先？曰：去食。自古皆有死，民无信不立。"这可见，孔子以富庶为先，跟上来的才是教。说民无信不立，在必要的时候可以去食、去兵，这好像是以信为最重要。但是，如果没有一个足食、足兵的过程，老百姓如何信得过。看来，孔子也还是以足食、足兵为先。老子说："至治之极，邻国相望，鸡狗之声相闻，民各甘其食，美其服，安其俗，乐其业，至老死不相往来。"这也是要甘食、美服、安俗、乐业才达到至治。

客乙：管子说："仓廪实而知礼义，衣食足而知荣辱。"孟子说："五亩之宅，树之以桑，五十者可以衣帛矣。鸡豚狗彘之畜，无失其时，七十者可以食肉矣。百亩之田，勿夺其时，八口之家可以无饥矣。谨庠序之教，申之以孝悌之义，颁白者不负戴于道路矣。老者衣帛食肉，黎民不饥不寒，然而不王者，未之有也。"这跟孔子、老子的意思差不多，但这都是从经济政策方面说的。一个政治家或政治思想家，不管他的思想如何唯心，总也知道老百姓要吃饭穿衣。如果老百姓没有饭吃，没有衣服穿，他的政权就不会稳定下来。当然，也有一些统治者不顾老百姓的死活，终于丧失了政权还不知道是怎么回事，那就另当别论了。现在的问题是，要从社会历史的思想上去看中国的历史家如何对待社会经济问题。您看，是不是还要说到司马迁，他在这个问题上的见解是比较突出的。

答：司马迁在这方面确实是突出的。他认为经济利益是人们普遍的基本要求。他说："富者，人之情性，所不学而俱欲者也。"他列举朝廷的贤达，隐居的高士，英勇作战的壮士，盗窃杀人的少年，装扮歌舞的美女以及农、牧、工、商各种技艺人等，还有伪造文书、贪污犯法的官吏，都是为了追求经济利益。他说："天下熙熙，皆为利来；天下攘攘，皆为利往。""夫千乘之王，万家之侯，百室之君，尚犹患贫，而况匹夫编户之民乎！"他挖苦那些没有什么本领，长期穷困却老把仁义挂在嘴上的人，说是"亦足羞也"。

司马迁指出，在老百姓中间，财富的多少可以形成不同的社会地位。"凡编户之民，富相什则卑下之，伯则畏惮之，千则役，万则仆，物之理也。"他又把没有爵位的富人跟有爵位的贵人相比，指出前者的收入和物质享受可以跟千户侯相等。他还指出，甚而至于有爵位的人还要要求富商大贾给予他们在经济上的帮助。他又指出，在秦始皇的时候，大牧主乌氏倮和丹穴主寡妇清都以富于资财得到相当高的政治地位。

司马迁认为，道德的标准是因人们的经济利益不同而不同的。同样的事情，在这个人身上是好事，在那个人身上会成为坏事。有权力的人所办的事情，总被认为是好事。他说："窃钩者诛，窃国者侯，侯之门仁义存。非虚言也。"还有，一件事情，对于有共同利益的人是好事，而对于没有共同利益的人，就不一定是好事了。他说："鄙人有言曰：'何知仁义，已飨其利者为有德。'故伯夷丑周，饿死首阳山，而文武不以其故贬王；跖、蹻暴戾，其徒诵义无穷。"

司马迁是以贫富、小富和大富来区别人们的经济地位，还不能从生产过程中来区别人们的经济地位，没有从个人的经济地位上看出他的社会属性。他还不懂得剥削者和被剥削者之间的对立，但我们不应该拿我们今天的阶级分析观点去要求两千年前的历史家。司马迁在那个时候，有那样的思想，可以说已经够伟大了。在司马迁以后，还有谁能继承发扬这样的思想，还有待于探索。对司马迁本人在这方面的思想，一般只是就《货殖列传》、《游侠列传》和《平准书》里的记载来研究，这是不够的。我们还应该就《史记》的全书来研究他的这种思想。

客甲：现在我们谈谈关于得失成败和民主思想的问题吧。

答：从历史上看，过去的得失成败作为当前做人、处世、搞社会政治活动等的借鉴，这在我国有古老的传统。《诗经》说："殷之未丧师，克配上帝。宜鉴于殷，骏命不易。"这里提出来的"殷鉴"二字，成为两三千年来在政治上重视历史经验、历史教训的重要观念。今天我们说"借鉴"就是从"殷鉴"这两个字来的。鉴的意思是镜子。"殷鉴"就是用殷代得失成败经验教训的这面镜子，来照照我们现在。近些年，在国内发生的一些事情，对我们历史工作者来说，很感觉到深刻，感觉到借鉴历史教训非常重要。《周易》说："君子多识前言往行，以畜其德。"这也是要吸取历史经验教训的意思。德，不仅是个人的品德，而且包含个人的才能。

在历史上，每一次大变乱之后，地主阶级的历史家、政治家总是要考虑前一个历史时期的得失成败，作为新皇朝建立的借鉴。秦始皇灭掉六国，建立了空前规模的秦皇朝。但是，过不了几年，农民起义爆发了，秦皇朝像一个纸糊的房子一样，一下子都刮倒了。刘邦和他的一伙，没有尺寸的土地，也没有世袭的名位，出兵不到几年，就打下了天下，登上了皇帝的宝座。于是，汉初的人就纳闷，这是为什么？这就是要问秦为什么灭亡了，汉为什么能兴起。这是当时一个重大的理论问题，也是一个重大的现实问题。就是在这样的历史环境下，司马迁提出了“通古今之变”，要“网罗天下放失旧闻，王迹所兴，原始察终，见盛观衰”，要“承敝通变”。隋唐之际的形势跟秦汉之际的形势有些类似。唐初的政治家、历史家也面对着类似的问题，即隋何以亡，唐何以兴。唐太宗曾经多次对朝臣谈论隋亡的原因。主编《隋书》的魏徵也说：“殷鉴不远，在夏后之世。臣愿当今之动静，以隋为鉴，则存亡治乱可得而言之。”《隋书》就是在这样的思想指导下编纂的。司马光的《资治通鉴》在书名上已经标得很清楚是要“资治”，用他自己的话来说，这书就是要“鉴前世之兴衰，考当今之得失。”杜佑的《通典》和马端临的《文献通考》是两部论述典章制度的通史。这两部书记载了历代典章的沿革，还评议了历代典章制度的得失。其中，有许多议论是很精彩的，在今天也还有参考的价值。

我个人的意见，研究历史当然要研究历史发展的基本规律，研究中国史，要研究中国历史的基本发展规律。同时，我们也还是要接受我们史学的优良传统，也要研究历史上的得失成败。过去的史学家研究历史上的得失成败，不少人是使用封建道德的标准去论述的，我们当然不能这样做。近些年，对于历史事件和历史人物的评论，也有很多不是从历史影响、历史作用上去分析，而是简单地采用了“戴帽子”的办法。我们应该好好学习马克思主义，要对历史作具体的分析。

关于民主思想，近代是比较发展的。在明清之际，民主思想也是显著的。黄宗羲的《明夷待访录》指责封建社会“以君为主，天下为客”，指责封建君主“屠毒天下之肝脑，离散天下之子女，以博我一人之产业”，“敲剥天下之骨髓，离散天下之子女，以奉我一人之淫乐”。他说：“为天下之大害者，君而已矣。”唐甄著《潜书》说：“三代以后，有天下之善者莫如汉。然高帝屠城阳、屠颍阳；光武帝屠城三百。”他断言“自秦以来，凡为帝王者皆贼也”。像这样的议论都是很明显的，我就不多说了。

以上我谈的几个观点，只是把问题提出来，希望共同研究，提高我们对史学遗产的认识，区别精华和糟粕，批判地继承对于我们史学工作是会有好处的。我们今天的讲话是否就到这里了？

客甲、客乙：我们还希望另外再找个时间，谈谈关于历史文献学方面的问题。再见。

答：再见。

（原载《史学史研究》1981 年第 1 期）

谈历史文献学——谈史学遗产答客问之二

时间：1981年3月

地点：北京师范大学史学研究所

来客：客甲、客乙

客甲：今天我们谈谈历史文献学的问题好不好？现在我们研究历史文献学，有什么用处？

答：我们所谓历史，实际上包含两个意思。一个意思是指客观存在的历史，这是历史的本身。另外一个意思，是指人们写出来的历史，这是关于历史本身的记录，但不能说就是历史的本身。我们平常总是把这两个意思混淆起来。为什么会把这两个意思混淆起来呢？这是因为客观历史一去不复返了，我们没有办法把它拉回来加以考察。我们研究客观历史，主要是依靠历史记录。正是因为这样，人们就很容易地把这两个意思混淆起来了。我们今天研究历史，必须要研究历史文献。既然要研究文献，就需要建立历史文献学这门学科。历史文献学可以帮助我们搜集、分析并正确地运用历史文献，使我们的历史工作在文献方面具有良好的条件，这就是历史文献学的主要用处。

客乙：那么说，我们的历史工作就应当重视历史文献学的研究。这是不是可以说历史文献学比历史理论还更重要呢？

答：马克思主义的历史理论，是指导我们研究历史的必要的重要武器。离开了马克思主义理论，我们就迷失了研究的方向，并且也不可能真正解决历史上的具体问题。马克思主义告诉我们，研究问题要在理论的指导下，详细地占有材料，从而引出新的结论。我们研究历史文献和历史文献学，正为的是要详细地占有材料。我们研究历史，必须按马克思主义指引的方向去做。如果把历史文献和历史文献学跟马克思主义理论对立起来，那是很不合适的。我们老一辈的历史家，掌握了大量的历史文献，对历史文献学有一定的修养。但是，如果他不懂马克思主义，他的成就是很有局限的。反过来说，如果把马克思主义理论简单地理解，而不下工夫去掌握大量的历史文献资料，也是不符合马克思主义精神的。在马克思主义理论的指导下进行历史文献学工作，建立起来科学的历史文献学，这是我们历史工作者应该担负的任务。

客甲：现在我们对马克思主义理论还学习不好，是否有必要提出来要研究历史文献学呢？

答：我看现在提出这个问题，是需要的。我们学习理论是一辈子的事，是无止境的。我们不能想象把马克思主义理论学好了，再干旁的事情。我们应该是一边学习理论，一边工作，一边学习旁的东西。

从五四运动以来，中国史学界出现好多流派。从李大钊同志开始，马克思主义逐步在史学领域里传播开来。大钊同志的《史学要论》是第一部有系统的马克思主义历史理论的著作。这本书的分量不大，但它的出版在历史意义上很重大。第二次国内革命战争时期，社会性质问题的论战、社会史问题的论战和中国农村性质问题的论战，是当时学术界三个大论战。这三个论战，表面上是学术性的论战，实际上是政治思想战线上的重大论战。马克思主义理论和反马克思主义的观点在这个时期展开了激烈的斗争，这使马克思主义的理论传播，在中国大大地迈进，使大家更明白了中国社会性质是半殖民地、半封建的社会，中国的革命任务是反对帝国主义、封建主义。郭沫若同志在这个时期写出了《中国古代社会研究》，试图运用马克思主义的观点，观察中国整个历史的发展及其伟大的前途。这是在《史学要论》以后又一部有重大意义的历史著作。在抗日战争时期和解放战争时期，范文澜、翦伯赞、吕振羽等同志，都运用马克思主义写出《中国通史》，而邓初民同志写出《社会进化史纲》、《中国社会史教程》，侯外庐同志写出了《中国古代社会史论》和《中国思想通史》，使马克思主义理论和中国历史的实际又进一步地结合。这三十年的史学，说明马克思主义理论对历史研究工作有特别的重要性。这些同志，同时对历史文献又是有研究的。郭沫若同志在甲骨文和金文方面的研究，都取得了卓越的成就。

五四以后，还有一些历史学家，不是学习用马克思主义理论研究历史的，但在史学工作上，也取得了成就，他们也给我们留下了可贵的史学遗产。王国维先生、陈寅恪先生、陈垣先生、顾颉刚先生等的成绩都很多，对我们今天的研究工作还是有益的。他们的成就，主要是在历史文献方面，而他们的学风又各不相同。从历史文献学的角度来看，陈垣先生做出了一些示范的工作，在目录学方面，在校勘学、在避讳学、在辑佚学、在年代学等方面，都做出了成绩。顾颉刚先生在古书、古史的辨伪上，陈寅恪先生在中外史料的综合利用上，都做出了很好的成绩。当时，还有一些学者，在政治方面很不好，但在文献考证方面，也做出了一些成绩，我们也不必因为他们在政治上有问题，对他们的学术工作完全加以摒弃。

解放后，我们历史学界，同全国人民一起，普遍地进行了马克思主义的理论学习。这三十年通过不断学习，通过联系实际，可以说，我们的理论水平是普遍地提高了。原来根本不懂马克思主义的，现在读了一些马克思主义的书，懂了一些马克思主义的道理。也有一些同志学会用马克思主义的原理，运用在历史的研究上。过去对理论就有修养的一些老同志，这三十年来的成就就更大了。这是解放以来三十年，在史学领域里最大的事情。我们应该看到这种情况，重视这种成就。这是有利于史学发展的最根本的建设。我们绝不可以因为这些年写的书不多，就低估了这种成就。我们可以回忆一下，在解放初期，高等学校的不少教师，只要能在课堂上引用几句马克思主义的词句，就很受学生的欢迎。现在是什么情景呢？比当年是大大的不同了。只要把现在的情景和解放初期的情景对比起来，就可以看出我们的水平是提高了。当然，我们理论水平的提高还很有限，我们还应下刻苦钻研的工夫，还应该不断提高。值得注意的是，在这些年，在学习理论的同时，对历史文献也进行了一些工作，但重视的程度是很不够的。这是一个很大的缺点。在我们高等学校历史系里，大量地搬用了苏联的课程计划，根本不引导学生们去接触历史文献，因而，一直到今天，我们历史系的大学生，很缺乏搜集、利用文献的能力，因而也限制了他们独立研究的能力，妨碍了他们继续提高，也妨碍了史学工作的顺利开展。我认为，我们高等学校的课程设置必须改革。一方面，更要抓紧理论的学习，又一方面，还要抓起历史文献的学习。这样，才能提高我们的教学、科研水平，才能促进我们历史科学队伍的迅速成长。

客乙：请问历史文献学是最近才提出的一门学问，还是以前就有呢？

答：你问的是关于历史文献的历史。这方面的历史还有待于研究。简单一点说，对于历史文献的整理、研究，很早就有了。我们可以说，就在这个时候，历史文献学就开始出现了。但如果作为一个学科体系来要求，现在还正在建设中。

从古代流传下来的文献，除了甲骨文、金文以外，《诗经》和《书经》算是最古老的了。后来，据说孔子修《诗》、《书》，他做的就是文献的整理工作。诗，原来篇数很多，但孔子教他的学生学习的只有三百篇。书，原来也很多，但孔子教他学生的不过百篇。孔子可以说是我们知道的第一个历史文献学家。“文献”这两个字，以我们所见，也是孔子最初提出来的。孔子说：“夏礼，吾能言之，杞不足征也。殷礼，吾能言之，宋不足征也。文献不足故也。足则吾能征之矣。”这可见，孔子就懂得研究历史需要研究历史文献。这里所说的“文”，指的是由书面记载的东西；所说的“献”，传统的解释说是“贤人”，大概指的是流传下来的言论。今天我们就袭用了“文献”这两个字。今天我们所说的“文献”，主要是指有历史意义的比较重要的书面材料。

司马迁作《史记》，对他所接触到的文献，做了大量的整理工作。东汉末年，刘向和他的儿子刘歆，奉命整理皇家图书。那时候，皇家收藏的书籍很零乱，不少的书都有好几种本子，各种本子之间又是差别很大。刘向要从各书的不同本子里整理出一个定本，并把每一本书的内容和整理经过，写成一篇文章，向皇帝上奏，被称为《别录》，这是书目解题的开始。现在，《战国策》、《山海经》、《说苑》、《管子》、《晏子》、《列子》、《邓析子》、《荀卿子》等书，都还附有刘向写的这种文章。刘向和他的儿子刘歆，还对书籍进行了分类，还对各个流派作了说明。对于书籍的校勘，刘向也做了大量的工作。他提出来雠校的概念。他说：“一人读书，校其上下，得谬误为校。一人持本，一人读书，若怨家相对，故曰雠也。”刘向和刘歆，关于整理文献的著作，基本上都失传了。《汉书·艺文志》主要是根据他两人的著作写成的，我们从《汉书·艺文志》还可以略略看到他们在文献工作上的成就。刘向可以说是第一个大目录学家、大校勘学家。要讲历史文献学，首先是应该研究刘氏父子的成绩的。

随着历史的发展，历史文献的研究也相应地有所发展。《隋书·经籍志》是历史文献研究发展中的又一个标志。《汉书·艺文志》只有《春秋》类。在这一类里面，除了《春秋》经传以外，只著录很少的历史书。《隋书·经籍志》把图书分为四大类，史类是四者之一。《隋书·经籍志》在史部里边，又分为正史、古史、杂史、霸史、起居注、旧事、职官、仪注、刑法、杂传、地理、谱系、簿录等十三个分类，并对每一个分类都有说明。这是历史目录学方面的重要著作。对于后来史部目录学的分类，起了很重大的影响。

唐代的大史学家刘知几，所著《史通》一书，是很负盛名的，被认为是理论性的史学著作。实际上，这书主要讲的是史书编纂体例，但也有两篇跟历史文献学有关的。一篇是《杂述》，它在"正史"以外，列出来十类的历史书，其中有偏纪、小录、逸事、琐言、郡书、家史、别传、杂记、地理书和都邑簿。刘知几从史料价值的观点指出来，这十类书各有短长，应该善于选择。另外的一篇是《采撰》，它指出，著史好像是“珍裘以众腋成温，广厦以群材合构”，要“征求异说，采摭群言，然后能成一家”。刘知几认为，各种记载有真伪，有得失，有诬谬，对于“异辞疑事，学者宜善思之”。他说的话不多，但已涉及到历史文献学的考证方面了。

到了宋代，历史文献学有了显著的发展。司马光、欧阳修、吴缜、沈括、郑樵、朱熹、洪迈、王应麟都有所贡献。司马光著《资治通鉴》，做了大量的文献研究工作。他对于历史记载有互相差异的地方，一定要进行研究，把他认为可靠的材料，写在《资治通鉴》里面。另外，又把他对史料去取的原因，写成《资治通鉴考异》三十卷，这是一部系统地考察历史文献的书，在历史考据学方面有着重要的地位。

欧阳修著《易童子问》，认为《易经》里的《文言》、《系辞》、《说卦》、《序卦》、《杂卦》等篇不是孔子作的。这在当时是很大胆的看法，这对于实事求是地考订史料的价值，是很有意义的。实际上这是开创了后来辨证古书真伪的风气。他收集了古代的金石文字，加上自己的解说，成《集古录》一书。他这个工作是把金石文字当做历史文献来看，扩大了历史文献的范围。但他和宋祁合编的《新唐书》，还有他自己编的《五代史记》都有不少错误。吴缜著《新唐书纠谬》二十卷、《五代史纂误》五卷，就欧阳修的这两部书内部自相矛盾的地方指出来。吴缜的这两部书，对于历史编纂学，对于历史文献学里的校勘学，都是有一定贡献的。

朱熹是有名的理学家，是一个客观主义唯心论者。但他对历史文献的整理上是有见解的。《诗经》原是儒家尊崇的一部经典。朱熹认为《诗经》里的《国风》大部分是男女的情诗。对于《易经》，他认为这是一部经历时期很长，陆续写成的书。他认为《易经》里面，有伏羲的易，有文王的易，有孔子的易，在读易的时候应该把这三人的易，分别看待，不能混为一谈。这可见他对古书的看法是持有一定的历史态度的。他又有辨别伪书的本领。他辨别出来的伪书，数量相当的多。他对古书的注解，如《大学中庸章句》、《论语孟子集注》，这是通过注解，阐述他的哲学思想，这跟对历史文献的一般解释有所不同。但他著的《韩文考异》、《楚辞集注》都是关于文献考订的正式著作。他晚年，又跟几个学生一起编了《仪礼经传通解》。这部书没有编成，他就死了。学生们问他，这书里的古礼现在是不是都可以实行。朱熹表示，这主要是把古礼的材料汇集在一起，很多是不能在后世里实行的。这也表示他对历史文献的一种看法。

北宋的沈括，是一个大科学家。他著有《梦溪笔谈》。南宋的洪迈也是一个很博学的人，著有《容斋随笔》。后来王应麟著《困学纪闻》。他们都有很精辟的关于历史文献的考证，对于后来清人的历史考据都是有影响的。

客甲：郑樵在历史文献学方面是否也有贡献？

答：对于郑樵的评论，向来有两种说法。一种看法认为，他写的《通志》是抄撮成书，纰漏很多。又一种说法认为，他在历史编纂上有很多创见。我看这两种说法，都带有片面性，现在我们暂且不必深究。现在我只想谈谈他对历史文献学的贡献。这大概有两点。第一点，是他写了《图谱略》和《金石略》，扩大了历史资料的范围，把图谱和金石文字提到重要的地位，这在以前是没有的。第二点，他著的《校雠略》，是一篇有创见性的著作，在历史文献学的发展史上占有重要的地位。他在这里提出了类例的概念。他说："类书，犹持军也。若有条理，虽多而治。若无条理，虽寡而纷。类例不患其多也，患处多之无术耳。"他把古今的书分成十二类，一百家，四百二十二种。他这种分法，不管是否合适，但类例的概念对于编修书目，整理资料，都是很重要的。《校雠略》还阐述了求书的方法，编辑书目应该注意的问题，都是很有见解的。他还提出来"阙书备于后世"、"亡书出于后世"、"亡书出于民间"，这都是有利于搜集历史文献的观点。

宋代在历史文献学方面的成就，是应该下点工夫去研究的。向来有一种说法，认为学问有汉学和宋学之分，认为宋学是讲义理的，不讲究史料的考订、文献的研究，而认为清人的考据是汉学。这种看法不一定对。清人所谓汉学，实际上是从宋人的历史文献学发展而来的。宋人固然是以义理出名，但是他们在历史学上是有成就的，在历史文献学上也是有成就的。清人的汉学，在一些领域里都是宋人所创始的。

客乙：说了半天，我们对于历史文献和历史文献学都包括什么东西，还不清楚。您是不是再跟我们说说？

答：历史文献指的是历史文献的本身，历史文献学是指关于历史文献的专业知识和研究历史文献的方法。

历史文献指的是有重要历史意义的书面材料，刚才已说过了。最近，张舜徽先生在《历史文献集刊》上写了一篇文章，把“文献”和“文物”分开。我同意这一意见。这是在研究对象、研究方法、研究目的上都不相同的两门学科，是应该分开来的。但是，什么是重要的历史材料呢？这由于研究角度的不同而不同。我们一般的习惯，常说政治文献、经济文献，而没有听说思想文献。但是我们又常说马克思主义文献，难道马克思主义文献里不包括思想文献吗？应该说其中一大部分是属于思想文献，或者说思想史的文献。像历代的诗词、散文，我们不习惯说它们是文献，但对文学史工作来说，它们中的重要作品也可以说是文献。我们古代的农书，像《齐民要术》，科技书像《天工开物》，在政治史工作者看来，不能算是什么文献，但对于科学史工作者来说，却是重要的文献。又如《颜氏家训》、《世说新语》等书，还没有听说它们是历史文献。但是从社会史的角度来看，也应该说是文献。所以，历史文献的内容，不能说得太死，要看工作的需要而定。此外，我们也可以从史料的价值上来谈谈历史文献的内容。从史料的价值上说，可以借用章学诚对史书性质的分类，分为“记注”和“撰述”两类。记注，是当时的历史记录，可以说这是比较原始的史料。撰述，是后人对历史的写作和议论，一般地说，这在史料价值上要差一点。当然，有些撰述因为见解上的高明，而有较高的价值，但那是另外一件事了。

历史文献学，一直到现在，也没有一个人给它规定个范围。作为一门学科提出来，还是不久以前的事。我个人的意见，可以包含这样的几个内容，一、目录学，二、版本学，三、校勘学，四、辑佚学，五、辨伪学，另外，还包含有古汉语、古民族语文、甲骨文字、金石文字、年代学、历史地理学等。

目录学是掌握历史文献的入门学问。我们研究哪一方面的历史问题，必须知道有哪些文献应该进行研究。从最简单工作来说，也必须有一个书名的单子，这也就属于目录学的性质。但目录学要求，比这个要多得多。作为一个学科体系来看，目录学要求掌握古今图书的分类和收藏流传的情况。图书分类不是一件简单的事情，要懂得各门学科的不同性质和各种学术的不同流派及其发展状况。从《汉书·艺文志》到《四库全书总目提要》，在目录学上都作出了不少贡献。一个研究工作者，必须懂得他这一门学科的目录学。一个历史工作者必须懂得史籍的目录学。为了指导学生掌握学习文献的途径，也应该在目录学上给他们以指导。现在，有些高等学校，内部印行了古代史参考书目，这是一件很好的工作，还应该继续发展下去，把这些目录收录进去的书，都加以解说，使读者知道大概内容，这是教学上很需要的事情。《辞海》里，有许多关于书名的词条，虽嫌简单了一点，也还是有用，最近在编写中的《历史百科辞典》和《大百科全书·历史卷》可能在这方面多起些作用。

版本学本来也可以算做目录学的一部分，但因为版本研究的本身还需要有专门的知识，这是可以独立成为一种学科的。目录学家可以在书目上注明有什么版本。但对于版本本身的研究，一般的目录学家是不能胜任的。版本学内容应该包含刻书的历史、版本流传的历史、版本的鉴定、刻书家的历史等。

目录学和版本学，都是在清代发展起来的。校勘学也在清代有了很好的成绩。如全祖望校《水经注》，毕沅、孙诒让校《墨子》，都有很好的成绩。有些古书，过去念不通的，现在可以念通了。俞曲园著《古书疑义举例》七卷，最后三卷有三十七例，基本上都属于校勘的义例，这是在校勘学范围内整理出来的一些规律性的东西。陈垣先生用了很大工夫校《元典章》，又作了《元典章校补释例》。这是通过《元典章》这部书的校勘工作举出了校勘的五十例，比俞氏大有发展。他还概括出校勘的四种方法。第一种是对校法。刘向校书，主要用的是这种方法。第二种是本校法，用本书前后对证，发现错误。吴缜《新唐书纠谬》，主要是用的这种方法。第三种是他校法，是用他书校本书，最近中华书局出版的《二十四史》里边，有一些校勘记，就用的是这种方法。第四种是理校法。这是在前三种方法走不通的时候，迫不得已才用的方法。陈先生提的这些方法，为校勘方法指示了门径。

辑佚学，是把遗失的古书，根据他书引用而集中起来，让我们知道一些遗书的部分情况。唐宋时期的类书，如《初学记》、《艺文类聚》、《太平御览》、《册府元龟》以及诸经注疏等，都引用不少佚书。清修《四库全书》，从《永乐大典》里辑出大量的佚书。马国翰的《玉函山房辑佚书》，所辑佚书有五百八十余种之多，是私人辑佚工作中成绩最显著的。现在这种工作还可以做。《永乐大典》还有些佚书可以辑出来。《古今图书集成》成书的时期比较晚，但里边引用的一些书，有些现在已经见不到了，还是可以做些辑佚工作的。

辨伪学，是辨别历史文献真伪的学问，包含辨伪书、辨伪事两种内容。这是历史很悠久的一门学问。《论语》：“纣之不善，不如是之甚也。是以君子恶居下流，天下之恶皆归焉。”孟子说：“尽信书，则不如无书。吾于《武成》，取其二、三策而已。”可见，孔子孟子时期都已经开始疑惑相传的古书、古事之真伪了。韩非子也说：“孔子墨子俱道尧舜而取舍不同，皆自谓真尧舜。尧舜不复生，将谁与定儒墨之诚乎。”

司马迁对于古书、古事的辨伪，是十分重视的。他说：“百家言黄帝，其文不雅驯。”“世言苏秦多异。异时事有类之者，皆附之苏秦。”后来，刘向整理古书，也很注意辨伪问题。他写的《晏子别录》说《晏子》里有一篇文章“颇不合经术，似非晏子言，疑后世辩士所为”。班固根据刘向父子的著作写《汉书·艺文志》，指出来有好多种书是“依托”，有的书“似依托”。

宋代以后，辨伪工作比较发展。如欧阳修、朱熹等人的工作，我们已经说到了。明代宋濂著《诸子辨》，胡应麟著《四部正伪》，清代万斯同著《群书疑辨》，姚际恒著《古今伪书考》，他们所辨的伪书种类很多，成绩很大。清代的阎若璩著《尚书古文疏证》、胡渭著《易图明辨》是两部很著名的辨伪的书。这两部书把古文《尚书》和《河图》、《洛书》的真伪，做了富有说服力的论定。

五四以后，疑古的风气，相当盛。顾颉刚先生提出来关于古史真伪的问题，对于长期流传的古代传说，有所否定。他编出了有名的《古史辨》一书，还编辑出版了《辨伪丛刊》。梁启超在燕京大学讲授“古书真伪及其年代”，提出了辨伪书的重要性、伪书的种类和来历、辨伪学的历史，还提出了辨别伪书的方法十三项，在一定的程度上对以前的辨伪学作了总结。

一般所谓伪书，情况是相当复杂的。有的是后人有意识的假造。有的书只是因为不是出于一个时期，成于一人之手，而被称为伪书。像这样的书，我们应该分辨哪几篇写得比较早，哪几篇是后来写的，从而分别对待，不应该把这类书说成是伪书。有的书是依托古人讲自己的思想。尽管他说的古人和古事不真实，但这样的书不能算是伪书。所以我们对待所谓伪书，也要具体分析。至于真正假造的书，里边也包含真实的材料，我们也要善于利用。不要因为泼脏水，把孩子也泼掉了。

我国长期以来有避讳的习惯。子女不能称呼父母的名字，臣不能称呼君王的名字，下级不能称呼上级的名字，年轻人不能称呼年长人的名字。特别君父的名字，在书面上是不能照直写出来的。有的时候是用改字的办法来表示。比如，唐太宗，名李世民，因为要避讳“民”字，在书面上就把“民”字改写成“人”字。有一本书叫《四民月令》，因避讳“民”字，就改成《四人月令》。有的时候，把应该避讳的字少写一笔。这是用缺笔的方法来表示。还有的时候，遇见应该避讳的地方不写字，而空一两个格。因为有这种避讳的习惯，在我们看古书的时候就增加了一些困难。但是，如果我们掌握避讳的知识，就可以帮助读者解释古书中的疑难，辨别古文书中的真伪和时代，辨别刊本的时代。因为皇帝们所避讳的字不一样，我们正可利用这一点作为辨别时代的标志。宋代的学者，对避讳的问题已经注意到了。清代的学者，如顾炎武、钱大昕、赵翼、王鸣盛等，对避讳都有专论。陈垣先生总结了前人在这方面的成就并加以发展，写成了《史讳举例》一书，是系统地论述了避讳学的一部专著。

年代的记载是历史记载的一个基本条件。年代不明，就弄不清历史发展的进程。年代错乱，就会造成历史研究上的混乱。秦以前，各国实行的历法并不统一，纪年的方法也不一致。汉以后，一个皇帝可以有好几个年号。在封建割据时期，同时存在着好几种年号。弄清纪年，还是比较复杂的事情。司马迁作《史记》要写年表、月表。杜预注《春秋》，要整理出来《春秋长历》。宋以后，研究纪年的多起来了。清人在这方面下了很大的工夫。李兆洛的《纪元编》是这方面很重要的著作。近几十年，我们习惯于用西元同中国纪元对换。但是中西历的纪年方法很不相同。中历的一年并不就等于西历的某一年。中西历对换，一年之间的差别，可以多到五十几天。如果简单地以中西历对换，就会出现差误。还有希吉拉历，即所谓回历，是以三百五十四日为一年，又没有闰月。每经三十年，中回历要相差一年之多，一千年要差三十几年。另外还有藏历、傣历，纪年的方法各不相同。从历史文献学的角度来看，年代学是一门很重要的、相当复杂的学问。陈垣先生的《二十史朔闰表》、《中西回史日历》，在年代学方面作出了重要的成绩，一直还是重要的工具书。

地理环境是历史活动的舞台。我们要具体地了解每一个历史事件，必须了解它是在什么地方发生的，在什么地方发展起来的，在什么地方结束的。历史记载如果缺乏这方面的记载，就不是一个完整的记载。但在长久的历史过程中，行政区域的建置有不断的变化，一个地名所代表地区的大小也不断有变化，同一个地方而有不同的名称，不同的地方又有同样的名称。因此，历史地理学的研究，对于历史文献的研究是很有必要的。在《二十四史》里边，有一些史是有地理志的。在地理志里边，总要讲到地理沿革，这就是历史地理学的范围。还有一些历史书的注解要注出古今地名的异同。在地方志里边，在个人的游记里边，都常常有关于历史地理的记载。清代的历史地理学是比较发展的。顾祖禹著《读史方舆纪要》，是历史地理学方面的杰作，一直到现在还是一部很有用的书。清代学者考证先秦地理的书比较多。通考历代地理的，有陈芳绩的《历代地理沿革表》，李兆洛的《历代地理志韵编今释》，杨守敬的《历代地理沿革图》都是有代表性的著作。清中叶以后，研究西北边疆历史地理的人，比较地多了起来。关于西藏、青海、新疆、内蒙古的历史地理，都有著作。中国历史文献里还有关于外国的记载。对于这些记载里地名的考订，也还需要有关于外国历史地理方面的知识，但这就不一定属于中国历史地理学的范围了。年代学和历史地理学，都不限于历史文献学的范围，但大部分是属于历史文献学的。最近，我国历史地理学的专家，编制了《中国历史地图集》，还把历史地理的研究，推广到自然地理的历史变化。这都是新的突破，而后者更超出了历史文献学的范围。关于历史文献学的内容，我说得很杂乱。我在这方面并没有研究，只是提出来一些问题，希望引起同志们的注意，进行认真的研究。这是我们史学工作不可缺少的一个部门。

客甲：您不是说历史文献学还包括有古汉语、古民族语文吗？

答：文献总是用文字写出来的。我们要研究文献，总要先掌握文字这个工具。文字学和语言学不能包括在历史文献学之内，但是古汉语和古民族语文以及甲骨文、金文等等，主要是用于研究历史文献的，我想这些学科也是可以包含在历史文献学之内的。像这一些学科，都需要专门的研究。还有属于以上所说的关于考据方法的研究，也是属于历史文献学的，也可以进行一些研究。另外，历史学还应该包括历史档案学和方志学，这还是历史文献学里的两个大宗。关于方志学，《史学史资料》和别的刊物已发表了一些论文。关于历史档案学，现在已有《历史档案》专门刊物的出版。这些对于我们的研究，都是可以参考的。还有北京图书馆编的《文献》，说是丛刊，其实也是一个杂志，对研究历史文献也是一个专业性的杂志。

客乙：现在是不是有一本书能把历史文献学系统地讲一讲呢？

答：以前有过这样的书，写得很简单，还不成体统。现在我们应该提倡这门学问，请一些同志写出来这样的书。一开始，不必要求太高，以后可以逐步改进。各高校的历史系应该尽早开出这门课程。也可以建议有关单位，开设这方面的短期讲习会，培养这方面的师资。

客甲：还有关于类书的研究，是否也可算做历史文献学的一部分？

答：关于历代的类书，应该进行系统的研究。是把它作为一个独立的学科来研究呢，还是作为目录学的一部分来研究，我还想不好，大家来考虑考虑吧。今天就说到这里好不好？谢谢你们耐心听我这些粗浅的意见。

客甲、客乙：谢谢，谢谢！

（原载《史学史研究》1981年第2期）

谈史书的编撰——谈史学遗产答客问之三

时间：1981年6月

地点：北京师范大学史学研究所

来客：客甲、客乙

客甲：3月间听您谈历史文献学，不觉有三个月了。现在想请您谈谈历史编纂学的问题。

答：今年1月间曾谈到历史编纂学这个名词。现在好多人都用这个名词。这个名词是从historiography这个词翻译过来的。这样的译法是否合适，我们还可以研究。我想，现在我们暂时不用这个名词，就谈谈史书的编撰吧。你们看，关于这个问题，谈些什么好呢？

客甲：关于史书的传统体裁，谈过的人已经不少了，我们觉得还是可以再谈一谈。

客乙：章学诚说："撰述欲其圆而神，记注欲其方以智。"这两句话跟史书的编撰很有关系。但什么是撰述，什么是记注，什么是圆而神，什么是方以智，我们不大懂。您可不可以跟我们谈谈？

客甲：您近来主编的《中国通史纲要》，在编撰体例方面，是不是有些新经验？您最近发起编写的多卷本《中国通史》，是不是在体例上，也打算有所创新？这些问题，是不是都可以跟我们谈谈？

答：史书的体裁，一向是受重视的，主要是纪传体、编年体和纪事本末体。一般的看法，在这三种体裁之间好像有一条截然的鸿沟，它们的形式也好像是固定不变的。实际上，不是这样。纪传体史书，其中很大的部分是记人物，但不是一种单一的体裁，而是一种综合的体裁。纪传体史书里的本纪，基本上就是编年体。编年体史书，是按年月记事的，但里边也有纪事本末体。比如《左传》记晋文公在外流亡的经过，就是纪事本末体。纪事本末体史书，是把历史上的大事区别为若干子目，在某一个子目里把这件大事有首有尾地记下来，每一子目都独立成篇。但这种史书也必须按年月来排比历史的事实，而且里边也不能不有传记性质的记述。这三种体裁的区别，只是就其主要的形式来说的，并不是互不相干的。而且，这三种体裁也是不断发展的，并不是一成不变的。例如：编年体的史书《春秋》和《竹书纪年》，只有简单的事目。《左传》、《前汉纪》、《后汉纪》，就有很大的发展。《资治通鉴》就有更大的发展。《资治通鉴》这部书是有极丰富的内容的，它按年月记述了历史事件的发生、发展和结束，记述了历史人物，记述了典章制度，还记述了各种议论。对于没有确切年月可考的史事，它也作了适当的处理。《资治通鉴》和《春秋》、《竹书纪年》，都是编年体，但彼此之间相差很悬殊。司马光在《资治通鉴》以外，又写了《资治通鉴目录》，这可以说是《通鉴》的纲，但究竟是另外一部可以独立的书。到了南宋出现了《资治通鉴纲目》，对于一件史事的记载，有纲，又有目，这是编年体史书的又一形式。同样，纪传体和纪事本末体，也都有一个发展的过程。像这些史书体裁的发展，是跟整个史学的发展分不开的。对于这三种史书体裁的看法，应该有一个新的看法。应该看到这三种体裁间的相互关系，看到它们的发展过程。

客甲：您说，纪传体是一种综合的体裁，应该怎样看呢？

答：纪传体的创始人司马迁说，他的书“厥协六经异传，整齐百家杂语”。这就是说，《史记》里有大量的记事、记言和别的成分。《汉书·司马迁传》说：“孔子因鲁史记而作《春秋》，而左丘明论辑其本事以为之《左传》，又撰异同为《国语》。又有《世本》，录黄帝以来至春秋时帝王公侯卿大夫祖世所出。春秋之后，七国并争，秦兼诸侯有《战国策》。汉兴伐秦，定天下，有《楚汉春秋》。故司马迁据《左氏》、《国语》，采《世本》、《战国策》，述《楚汉春秋》，接其后事，讫于大汉。”这里说的是《史记》吸收了前人所著史书的内容，实际上它也吸收了前人所著史书的各种体裁。其中最显著的一点，是记言和记事的综合。相传远古左史记言，右史记事，不一定可信。但记言和记事确是两种最古老的体裁。记事的体裁起源很早。比如大禹治水的故事，女娲补天的故事，都是很早的故事。在故事最初流传的时候，不一定有文字的记载，我们可称之为口头历史。《诗经》里的《大雅》、《周颂》、《商颂》都有关于他们祖先英雄事迹的记载。甲骨文、金文基本上也都是记事的。《尚书》主要是记言的，《国语》和《战国策》也都是记言的。《左传》是按年代编写的书，其中有记事，也有记言，已经把记事和记言综合在一起了。《史记》里最大量的篇幅都是把记事、记言综合在一起。记事和记言相结合，如果以人物为中心，就成为人物的传记。纪传体以大量的人物传记为中心内容，是记言和记事相结合的必然产物。

从体裁的形式上看，纪传体是本纪、列传、世家、载记、书志、表和史论的综合。本纪，基本是编年体，也有关于帝王本人的事迹。列传，是各方面代表人物的传记。世家，是诸侯和贵族的历史。载记是割据政权的历史。书志是关于典章制度和有关社会文化生活各方面的历史。表，是用表的形式来表达错综复杂的社会情况。史论，是关于历史人物和历史事件的议论。更具体地说，列传里有人物的专传，有合传，有杂传。书志里包括有经济史，如《史记》的《平准书》、《汉书》的《食货志》；有地理书，如《汉书》的《地理志》、《沟洫志》，《后汉书》的《郡国志》；有法制史，如《汉书》的《刑法志》和后来各史的《职官志》；有学术史，如《汉书·艺文志》和《隋书·经籍志》。纪传体把这些体裁综合起来，在每一部书里形成一个互相配合的整体。所以它既是多种体裁的混合，又有自己特殊的规格，形成了一种新的体裁。

清初，马骕著《绎史》一百六十卷，有编年体，有纪事本末体，有人物传记，有诸子的言论，有书志，有名物训诂，有古今人表，有史论。就体裁上讲，它是更为发展的综合体。

历史现象是复杂的，单一的体裁如果用于表达复杂的历史进程，显然是不够的。断代史和通史的撰写，都必须按照不同的对象，采取不同的体裁，同时又能把各种体裁互相配合，把全书内容融为一体。近些年，也许可以说近几百年，我们这个传统没有得到很好的发扬，因而我们的历史著作，在很大程度上不能表达更为广泛的社会现象。就专门史来说，体裁的问题，比写通史要简单一些，但单一的形式还是不行的。今天我们要采用综合的体裁来写历史，不只是要吸收古代历史家的长处，还应该超过他们。马骕的书，在体裁上虽然采用了很丰富的形式，反映了他的才能，但是史料汇编的气味太浓，史料的抉择不精，我们还是可以对它提出更高要求的。

客甲：您说的综合体，对理解纪传体的特点，对理解综合体的重要性，都很有意义。现在我们是否可以抛开综合体，而专门谈谈各具特点的历史体裁呢？是不是可以比较广泛而系统地谈一谈呢？

答：比较广泛而系统地谈史书的体裁，也只能就我感兴趣的谈一些。史书体裁，有记人的，有记事的，有记言的，有编年的。这四种，在前面都已说了。记人、记事、记言的史书一般是记年月的。但有一些记人、记事、记言的史书，就不一定记年月。如，甲骨文和《尚书》，《国语》和《战国策》，其中大量的记载是没有记载年月的。就这些记载的特点来讲，记言就是它们的任务。编年当然也要记人，记事，记言，但后者是从属于前者的。在这里，对人、事和言的记载，只是作为不同年代的内容而出现。编年体的好处是可以在同一年代内看到不同方面的史实，有利于对历史之总的考察。而且，史事之年代顺序的排列，可以发现记载上的分歧和错误，有利于对史事真相的考核。它的缺点是，在同一年代记载的史事，头绪较多，对于一般的读者来说，往往不容易看出一个眉目来。今天看来，编年体史书的编写还是不可少的。从历史研究工作进行的程序来说，对史事进行编年的考核是极为必要的步骤。但作为一种独立的史书体裁来说，怎样取长避短，还需要好好地研究。大事年表之类的东西，是表的形式，也是编年体的一种形式，是历史工作者很需要的东西。现在还缺乏比较好的大事年表。这是一项很艰巨的工作。年表需要写得简要。哪些事情写上去，哪些事情不写上去，既要下扎实的取材工夫，也要有敏锐的见解。这个工作不是轻而易举的。当然，编年体史书，不能局限于年表之类，还有它更广泛的前途。记言的专书，在秦汉以后没有显著的发展。记言，往往只是混合于各种史书记载的里面，而很少有独立成书的。刘知几在《史通》里，有《载言》一篇。他主张：在纪传体史书内，专有记言的篇幅，叫做制册章表书。章学诚的《文史通义》在《释通》一文里，列举了四种通史的体裁，其中一种是以“汇公私之述作，而铨录略仿乎孔（孔逭）萧（萧统）”、“以词章存文献”的《太和通选》为例，这就是一部以记言为主的专书。章学诚有《方志立三书议》，主张地方志应有“志”、“掌故”和“文征”三书，相辅而行。文征，也就是记言的书。他编的《永清县志》，在本书外，又编了一部《永清县志文征》。这是实践了他的主张。按照章学诚的观点，《昭明文选》、《唐文粹》、《宋文鉴》、《元文类》、《明经世文编》、《清经世文编》，都可以说是记言的史书。记言的史书，跟学者理论著作不同。学者的理论著作是阐述自己的见解的，而前者是用于反映历史时代某些方面的面貌。我认为，我们应当发扬这个传统，把历代关于政治、经济、军事、学术的重要议论和代表作，编选成书。这有利于读者直接接触原始的历史资料，帮助他们对历史的理解。近年以来出版的各种历史资料，其中有一些是接近于这种史书的性质，但是还有很大的不同。记言的史书，尽管是编选一些成品，但它不是简单的史料汇编，而具有卓然自立的性质。

史书体裁中，有专纪典制的。典是典章，包含法令、规程。制是制度，如田制、官制、军制等等，《周礼》、《仪礼》都是这方面最早的记载，但还不是史书。《史记》里封禅书、平准书，《汉书》里的刑法志、食货志、郊祀志等，在纪传体史书里，开创了典制体的规模，都还不是专书。唐朝，杜佑著《通典》，元，马端临著《文献通考》，这都基本上是典制体的专书，旧称为政书。这两书的部头都相当大。《通典》有二百卷，《通考》有三百四十八卷。《通典》以后，有《续通典》、《清通典》共二百四十四卷。《文献通考》以后，有《续文献通考》、《清文献通考》、《续清文献通考》共八百三十八卷。徐乾学的《读礼通考》和秦惠田的《五礼通考》都是关于典制史的书。这些书所包含典制的范围，多半是很广泛的，它们采用的体裁适用于容纳大量的资料。我们研究经济史、政治制度史，都不能不用这些书。一般地说，我们对于《通典》、《文献通考》等书，研究得还很不够。这不只是从史料的角度上研究得不够，从史书体裁的角度上看，研究得也是不够的。比方说，《文献通考》关于食货的部分，有田赋考，有钱币考，有户口考，有职役考，有征榷考，有市籴考，有土贡考，有国用考。其中子目，有二十几个之多。用今天的要求来说，这样的内容是不够说明社会经济发展情况的。但他的这种体裁及其内容，是可以参考的。他所列举的子目，其中有一些还是我们考虑得比较少的。历代的法典官制，如《唐六典》、《唐律疏义》、《大明会典》等保存了有关的史料，但跟典制史书还不一样。史书中有地理书，《禹贡》是最早的地理书，但还不具有史书的性质。《汉书·地理志》在地理书发展的历史上占有重要的地位。《史记》的《河渠书》和《汉书》的《沟洫志》，也都是早期的地理书。地理书，像《汉书·地理志》那样记载各地的山川、风俗、土产及行政建置沿革，我们可以从中得到许多关于自然条件和社会史的资料。明清的许多地方志，记载有关地方的军政大事和历史人物，这实际上是纪传体史书的一种形式，也是一种综合体。这类的书，对于研究地方史是很有用处的，但它在史书的体裁上，不能说是一种独立的体裁。我们从史书体裁的特点上看，毋宁对于《汉书·地理志》那样的地理书的体裁更有兴趣。我们今天也还是应该写地理书。但我们的地理书应提出更高的要求，要讲出来地理条件对社会的影响，人对自然条件的改造，地理条件的改变对社会的新的影响。我们研究历史的应该把地理条件考虑在内，这是今年1月间我们在那篇谈话里已经提到了的。

史书中还有家史、家族史的体裁。在西周末年，各诸侯国有年月可考的历史记载相继出现，这些记载都带有很大的家史的性质，主要是记各国贵族的历史。《史记》有三十篇世家，即反映了这种情况。魏晋南北朝时期出现了大量的家传、宗谱，都属于家史或家族史的性质。刘知几认为家史的记载意义不大，但是他主张在史书里设氏族志。氏族志，不是家史，但可以说是家族史。他说：“帝王苗裔，公侯子孙，余庆所钟，百世无绝。能言吾祖，郯子见师于孔公，不识其先，籍谈取诮于姬后。故周撰《世本》，式辨诸宗；楚置三闾，实掌王族，逮乎晚叶，谱学尤烦。用之于官，可以品藻士庶，施之于国，可以甄别华夷。自刘曹受命，雍豫为宅，世胄相承，子孙蕃衍。及永嘉东渡，流寓扬越，代氏南迁，夷从华夏。于是中朝江右，南北混淆；华壤边民，虏汉相杂。隋有天下，文轨大同，江外山东，人物殷凑。其间高门贵族，非复一家。郡正州曹，世掌其任。凡为国史者，宜各撰氏族志，列于百官之下。”刘知几的意思，就是要在国史里写出贵族们的家族史。不过氏族志的体裁，也很有局限，容纳不了详细的记载的。在中国的封建社会，家族的影响有很重要的社会意义。在地缘的关系之外，血缘关系对社会结构的组成，起了很重大的作用。所以撰写中国封建社会史，应该注意到家族史的编写。我们对家族史，还应该提点新的要求，既要研究历代大家族的历史及其在社会上的影响，还应该研究不同阶段的家史和家族史，研究家和家族在中国历史上的起源、发展、变化及其在不同历史时期的不同作用。

史书中有学术史、文化史的体裁。《庄子·天下》

篇、《荀子·非十二子》篇和《韩非子·显学》篇评论学术流派，可以说是学术史的开端，但是都还很简单。司马迁著《史记》，有先秦诸子的传记，有扁鹊、仓公的传记，有儒林传，有日者传，有龟策传，都是以传记的形式写的学术文化史，但是都还不够系统。《汉书·艺文志》在刘向父子工作的基础上，记载了当时各个文化领域的著作，这是以目录书的形式出现的。但它"辨章学术，考镜源流"，实际具有了学术史的雏形。后来，《隋书·经籍志》、《通志·艺文略》、《文献通考·经籍考》以及《四库全书总目提要》，都是以目录书的形式承担学术文化史的任务。在佛教的著作里，专史性的著作出现得较早，南北朝时僧祐的《出三藏记集》、唐代智升的《开元释教录》，以及《五灯会元》、《佛祖统纪》等，都是比较完整的文化史形式的书，当然是只限于佛教方面的。儒家的著作，如朱熹的《伊洛渊源录》，是关于理学一派的学术史。明清之际，黄宗羲著《明儒学案》。后来又有《宋元学案》、《清儒学案》，这都是关于儒家学术史大部头的著作。我国过去的学术文化史的书，大致有三种形式：一种是目录书的形式；一种是人物传记的形式；一种是目录、传记、言行录混合的形式。《明儒学案》等书，是以学派为纲，而以传记、言行录和评论为内容的。《宋元学案》还有各个学派传授渊源表。学案的体裁，是过去学术文化史最发展的形式。从今天的要求来看，这是远远不够的，但也不是没有可供吸取的地方。如果就学案的体裁加以发展，写出有关专家的传记，精选他们原来的代表作，加上我们的理论分析和事实考辨，另外还要论述各个时期文化之总的趋势及其历史地位，这可能写出来一些别具风格的学术史、文化史。

在纪传体史书里，有少数民族传，有外国传，基本上都是传记的体裁，而是以民族和国家为记述的主体，跟一般的人物传记有所不同。唐人樊绰的《蛮书》，清代祁韵士的《藩部要略》，张穆的《蒙古游牧记》，都是记载少数民族的专书。晋，法显的《佛国记》，唐，玄奘的《大唐西域记》，都有关于外国风俗和历史的记载。《隋书·经籍志》和《旧唐书·经籍志》著录有《清蕃国记》、《林邑国记》、《赤土国记》等书，但都已不传，不知道它们的具体情况。近年以来，关于外国史书的著作较多，但成熟的作品还很少。少数民族史要如何写法？外国史要如何写法？我看可以参照我国各种史书的体裁，灵活运用，写出各式各样的史书。现在关于这两类史书的撰写，还有待于发展，有待于大胆地创新。

史书中有表、有谱、有图。表，好像是应该有一定的表格形式。谱的形式，就可以不拘泥表格的形式。表和谱在我国有久远的历史，有各种的内容，一般都需要同旁的历史体裁结合起来，如年表、古今人表、百官公卿表等。图，在古代比较受重视。所谓左图右史。但后来，图的应用并不发达，郑樵著《通志》，有《图谱略》，主要是讲图的重要性，并著录了历代可考的各种的图。但是，郑樵的这篇著作，对后来的影响并不大。近来，我们的史书比较注意了图的使用，但在这方面还是缺乏系统的研究。我们的个别研究单位，早已着手编集历史图录，但还不知道哪一年能够出版。关于专门的文物图集，我们是出版了一些，但这同史书里的图有所不同。如何在史书的编撰中，对图作有计划的充分的利用，还是一件比较新鲜的事情。还有，我们是否可以创造出来用大量的图来表述历史的进程？这不是文物图片的排列，而须有艺术上的创造。我很希望历史家和艺术家共同创造出来这种新型的史书。

关于史书的体裁，总还有不少的形式。上面所说的各种形式中，也还包含有不同类型。但如果我们把史料书和历史书区别开来，对于主要的史书体裁，我们所说的可能已经差不多了。至于目前流行的论文式的史书，或充满了考据的史书，我就不多谈了。

客乙：我们说的史书的体裁，都说的是史书撰写的组织形式。好比量体裁衣，有个长短肥瘦，袍衫裤裙之差，如果剪裁得不合体，就不好看，甚至不能使用。所以，体裁是很要紧的。但体裁也要有个缝制的过程。编制各种各样的史书是不是也有一定的方法？

答：编撰的方法，大概古今没有太大的差异。在工作开始的时候，不论是否有书面的明确表述，总要先有一个主题和子目。其次，资料的搜集是很重要的工作。时代越古老，资料的搜集越要靠记忆。因为那个时候，书写的工具很不方便。在造纸术发明以后，尤其是在印刷术发明以后，资料的搜集就方便多了。现在有了电子计算机，可以大量地储存资料，对资料的使用就更方便了。司马光写《资治通鉴》，把各种记载里边每一年的史事都集中在一起，以备进一步的选择。他把这种工作叫做“长编”。然后，在关于同一历史时期的不同记载里斟酌去取，熔炼成篇。中国历史家很讲究类例。在《尚书》里，类例思想还不明显。《春秋》据后人的研究，是有例的，但跟全书的结构没有关系。《史记》在它的书里，区分为本纪、世家、列传等等，这就是类例思想在全书结构上的体现。《汉书·艺文志》更是大大地发展了类例的办法。不懂得类例，《汉书·艺文志》是写不出来的。晋，袁宏著《后汉纪》，在序文里边说：“古者方今不同，其流亦异，言行取舍，各以类书。”在这里，他正式提出了一个“类”字来。后来的史家，只要有所成就，总是要讲究类例的。一直到近代学者，陈垣先生对历史文献的研究，也是大量地使用了类例的方法。刘知几《史通》里，有《序例》一篇。他说：“夫史之有例，犹国之有法。国无法，则上下靡定。史无例，则是非莫准。”此后，如郑樵，如章学诚，都是善言类例的人。我们今天写史书，也是要讲类例的。不过过去所谓类例，基本上是形式逻辑的，我们不能以此自限，而要讲点辩证法。

客乙：章学诚所谓记注和撰述，圆而神和方以智，是否跟史书的体裁有关？

答：记注和撰述，是对历史记载之最大的分类，是从性质方面说的。圆而神和方以智，是从历史记载的成就或应有的要求说的。记注和撰述，两者的性质不同，但在体裁上是可以相通的。比如记人、记事、记言的体裁，编年的体裁，在记注里可以有，在撰述里也可以有。但其他的体裁，如“辨章学术，考镜源流”的学术文化史，撰述里有，记注里恐怕就不会有了。章学诚说：“撰述欲其圆而神，记注欲其方以智。”这是对撰述和记注，分别提出了要求，而事实上记注不一定就能做到方以智，撰述也不一定就能做到圆而神。他批评后来的纪传体史书的作者，“无别识心裁，可以传世行远之具，而斤斤如守科举之程式，不敢稍变；如治胥吏之符书，繁不可删。以云方智，则允复疏舛，难为典据；以之圆神，则芜滥浩瀚，不可诵识”。这可见记注性质和撰述性质的各种体裁的历史记载，应该分别有方以智和圆而神的要求，各种历史记载应该在这种要求下来提高水平，但在一定的情况下后两者并没有跟各种历史记载的体裁有必然的联系。

章学诚的上述论点，对史书的编撰有很重要的意义。第一，他提出了记注和撰述的区别；第二，他提出了记注和撰述应分别担当的任务；第三，他提出了史书编撰的改革方向。《文史通义》的《书教》三篇，比较集中地表达了他的这些看法。

章学诚说：“周官三百六十，具天下之纤析矣。然法具于官而官守其书。观于六卿职事之义，而知古人之于典籍不惮烦复周悉，以为记注之备也。即如六典之文烦悉如是，大宰掌之，小宰副之，司会、司书、太史又为各掌其贰。则六典之文，盖五倍其副贰而存之于掌故焉。其他篇籍，亦当称是。是则一官失其守，一典出于水火之不虞，他司皆得藉征于副策。”他认为，这是“三代以上记注有成法”的情况。这里所谓记注，有类于我们现在所谓政府档案或原始的官方记录，而又是限于一定范围内的官方职掌。

他说："至官礼废而注记不足备其全。《春秋》比事以属辞，而《左氏》不能不取百司之掌故与夫百国之宝书，以备其事之始末。"这是说，"三代以下记注无成法"的情况，但《春秋》和《左传》所依据的材料仍旧是记注，不过这时采用的记注要到各方寻找，不像过去那样的集中了。至于《春秋》和《左传》所做的工作，则是撰述的工作，而不是记注。把史料性的记注和创作性的撰述互相区别，这是章学诚在论史书编撰时很重要的一个看法。

章学诚阐述方以智和圆而神的论点说："夫智以藏往，神以知来。记注欲往事之不忘，撰述欲来者之兴起。故记注藏往似智，而撰述知来，拟神也。藏往，欲其赅备无遗，故体有一定，而其德为方。知来，欲其抉择去取，故例不拘常，而其德为圆。"方，是说要有一定的体例，使其可以具备各方面的记载。这需要记载者有一定的知识水平，也表达了或储存了很多的知识，所以说是"似智"，说"智以藏往"。圆，是说作者有"别识心裁"，不为成例所拘，而能运用自如。因为表现了撰述者的远见，所以说是"拟神"，说"神以知来"。

《尚书》基本上是官文书的汇集。但章学诚认为，这书既经过了孔子的编定，性质就很不同。他一再用以阐述圆而神的意思。他说：

“《书》取足以微征隐，通形名而已矣。因事命篇，本无成法，不得如后史之方圆求备，拘于一定之名义者也。夫子叙而述之，取其疏通知远，足以垂教矣。”

“周官三百六十，天人官曲之故可谓无不备矣。然诸史皆掌记注，而未尝有撰述之官。则传世行远之业，不可拘于职司，必待其人而后行。非圣哲神明，深知二帝三王精微之极致，不足以与此。此《尚书》之所以无定法也。”

“《尚书》圆而神。其于史也，可谓天之至矣，非其人不行，故折入左氏，而又合流于马班。”

他又以此意来评论袁枢的书，说：

“袁枢《纪事本末》又病《通鉴》之合而分之以事类。按本末之为体也，因事命篇，不为常格。非深知古今大体，天下经纶，不能网罗隐括，无遗无滥，文省于纪传，事豁于编年，决断去取，体圆用神，斯真《尚书》之遗也。在袁氏初无其意，且其学亦未足与此，书亦不尽合于所称……但即其成法，沉思冥索，加以神明变化，则古史之原隐然可见。书有作者甚浅，而观者甚深，此类是也。”这几段话，可以帮助我们更明白圆而神的意思。在最后一段里，他所说“按本末之为体也”云云，是对于纪事本末体提出的要求，不是说袁枢已经达到这种要求。他提的这种要求，可以说是圆而神的主要内容。他对于圆而神的要求，可以说是他对于史书撰述的最高要求。

章学诚在史书编撰上提出了对国史和地方志的改革，对国史的改革，即对纪传体的改革。① 他主张效法《尚书》，“因事命篇，不为常例所拘”。② 以本纪为经，以传为纬。③ 传要记事记言，要包括《史记》那样广泛的内容，但不要像《左氏》那样有许多以文徇例的浮文，不要像《史记》那样有八书、三十世家的区分。在传的统一名称之下，“或考典章制作，或叙人事终始，或究一人之行，或合同类之事，或录一时之言，或著一代之文”。他认为这样，“较之左氏翼经，可无局于年月后先之累；较之迁史之分列，可无歧出互见之烦。文省而事益加明，例简而义益加精”。

章学诚的这些看法，对我们编撰史书，有相当重要的意义，值得认真地研究。我的粗浅的看法，认为编撰不拘成例，不是不要例，而是不要拘泥于死板的框框，要按照具体的情况有所调整。方圆不可求全，可有适当的分工，但也不是有一条截然的鸿沟，而是可以互相补充的。特别是在讲圆的时候，也须有一定的方为基础，才可能更好些。最重要的是，无论是通史、断代史或专门史，总须在特定的范围内有一个全局的看法，然后才能谈到圆而神。圆是很不易的，神就更不易了。“神以知来”在章学诚还只能是一句抽象的话，我们则须学习运用马克思主义，取得具体的成绩。自司马迁倡言“述往事，思来者”，直到章学诚的“神以知来”、“欲来者之兴起”，都是我国史学传统中的光辉思想。过去说“知来”，是很难做到的。现在讲知来，是可以做得到的。史学工作者不是向后看，而是要向前看，这是一条马克思主义的原则。

我们编的《中国通史纲要》，在主观意图上有些想法，但做得很不够。多卷本《中国通史》是一部部头较大的书，不能不有更多的考虑。短时间内也说不清楚，现在就不说了。

客甲：是否再找一个机会，谈谈历史文学的问题？

答：以后再找机会吧。《史学史研究》希望陆续发表我们的谈话，他们总还会催促我们的。我的这几次谈话，都很粗浅，一定还有错误。我只是把问题提出来，希望引起一些同志的兴趣。占用了你们一些时间，谢谢，再见。

客甲、客乙：谢谢。再见！

（原载《史学史研究》1981 年第 3 期）

谈历史文学——谈史学遗产答客问之四

时间：1981年9月

地点：北京师范大学史学研究所

来客：客甲、客乙

客甲：我们又有三个月不见了，今天是不是谈谈历史文学的问题？

答：我正要找你们，今天把这个问题谈完，关于史学遗产的讨论就可以暂时告一段落了。

客乙：历史文学是否有不同的含义？

答：历史文学至少可有两种含义。一种含义，是指用历史题材写成的文学作品，如历史小说和历史剧。《三国志演义》是一部很有名的历史小说，它大量地吸收了陈寿的《三国志》和裴松之的《三国志注》。书里的重大情节，差不多都是有根据的。但这毕竟是一部文学作品，而不是历史。《东周列国志》也是根据大量的历史材料写成的，在文学价值上比《三国志演义》差得多，但也是有名的历史小说。《水浒传》写梁山泊起义的故事，是一部伟大的文学作品。但其中绝大部分情节都是虚构的，它的历史成分是很少的。历史小说的起源很古，如《穆天子传》可说是一部很早的历史小说，其中可能有相当多的历史事实，但附会虚构的成分一定不少。宋元以后，历史小说比较发展，鲁迅的《中国小说史略》谈到的就不少。清人吕抚的《二十四史通俗演义》和近人蔡东藩《历代通俗演义》是写了几千年历史故事的小说。姚雪垠的《李自成》，是当代作家写的大部头的历史小说。历史剧的种类是很多的。吴晗曾主编了一本历史剧目，由中华书局出版，这书现在总还可以找得到。吴晗是对明史下过工夫的，他搜集了大量的历史材料，写成了《海瑞罢官》剧本。“文化大革命”的序幕，就是从批《海瑞罢官》开始的。从历史工作的角度来看，这些文学作品，并不是历史书，但作者对历史事实的看法，他们描写史事的方法，也是可以供咱们历史工作者参考的。不过，像历史剧这类作品，还有历史小说，不是咱们现在所要讨论的历史文学。

客甲：咱们要讨论的历史文学是不是另一种含义的，是不是指历史著作中对历史的文字表述?

答：是的。咱们的历史家对历史的文字表述，有优良的传统。特别是写人物、写语言、记战争、表世态，都有独到的地方。大家知道，司马迁是这方面的典范。《史记》的《项羽本纪》、《魏公子列传》、《李斯列传》、《淮阴侯列传》、《郦生陆贾列传》、《刘敬叔孙通列传》、《魏其武安侯列传》、《李将军列传》等，都写得特别的精彩，使读者如见其人，如闻其声。《郦生陆贾列传》有这样一段记事：

> 沛公至高阳传舍，使人召郦生。郦生至，入谒。沛公方倨床，使两女子洗足，而见郦生。郦生入，则长揖不拜。曰："足下欲助秦攻诸侯乎？且欲率诸侯破秦也？"沛公骂曰："竖儒！夫天下同苦秦久矣，故诸侯相率而攻秦。何谓助秦攻诸侯乎？"郦生曰："必聚徒合义兵诛无道秦，不宜倨见长者。"于是沛公辍洗起，摄衣，延郦生上坐，谢之。郦生因言六国从横时。沛公喜，赐郦生食，问曰："计将安出？"

这写了沛公和郦生之不同的性格、不同的作风、不同的语言和神情，以及会见前后沛公在态度上的很大变化。写得是很成功的。《魏其武安侯列传》写魏其侯失势之后，武安侯当权。有一天，武安侯同灌夫说，他想访问魏其侯。“魏其与其夫人益市牛酒，夜洒扫，早帐具。至旦平明，令门下候伺。至日中，丞相（即武安侯）不来。魏其谓灌夫曰：‘丞相岂忘之哉？’灌夫不怿……乃驾自往迎丞相。丞相特前戏许灌夫，殊无意往。及夫至门，丞相尚卧。于是夫入见，曰：‘将军昨日幸许过魏其。魏其夫妻治具，自旦至今，未敢尝食。’武安鄂谢曰：‘吾昨日醉，忽忘与仲孺（灌夫）言。’乃驾往。又徐行。”魏其侯和武安侯都是当时很尊贵的外戚。但当一个在台上，一个在台下，就出现了一个恭谨，一个倨傲，这刻画了世态的炎凉。在《史记》以后的历史书中，也不断地有些写得好的篇章，但像司马迁那样把历史的文字表述和高度的文字修养结合起来，是很难找的。今天，我们史学界，应该在这方面向司马迁学习，要使我们的作品能吸引人，能让人爱看，才能发生更大的效果。一般的读者反映，说我们的历史书，写得干巴巴的，人家不爱看。我们应该接受这个意见，改变我们的文风。尽管做起来很困难，但这是我们应该努力的。

客乙：关于写语言、写战争的。您是不是可以再说一点？

答：《左传》、《国语》、《战国策》，都是大量地记录语言的书。《左传》所记各种辞令，不亢不卑，柔中有刚，是极好的。《国语》说理，指陈形势，战国游士纵横驰骋，又各有特色。这些，在后来的史书里都几乎难以看到。刘知几特别推重《左传》里“吕相绝秦”等篇。“吕相绝秦”的一篇话，一直到现在还是被传诵的名作。吕相奉晋君之命，对秦晋关系表示了决绝的态度。他历述秦对晋的恩德，接着说晋已一再对秦报恩，对秦有大的帮助，最后就缕述秦片面破坏盟好及屡次危害晋国的活动，而晋国虽极力克制，希望保持和好而不可得。这是一篇谴责敌国的话，但肯定了对方的旧恩，列举了对方背信弃义的事实，雍容大雅，没有一点咒骂，没有一点火气，措辞委婉有致，又有很强的说服力。孔子说：“不学诗，无以言。”又说：“诵诗三百，授之以政，不达。使于四方，不能专对。虽多，亦奚以为！”孔门有四科，语言是其一。战国间，游士以游说取卿相。孟子也说到跟大人物谈话时应注意的风度。这可见，重视语言有一个古老的传统。《左传》等史书在语言表述方面的成就，是这个古老传统的反映。当然，这还需要作者有高度的文学水平。后来，语言的描写在史书中越来越不受重视，而在小说和剧本中却有不断的发展。咱们应该提倡在史书中写语言，而且要写活生生的语言，不是缺乏活人气息的语言。

《左传》、《史记》和《资治通鉴》，都是以写战争著名的。《左传》记各次的战役，都生动有致。《左传》记邲战，有三千多字，这是当中记战事最长的一篇，但它记到战事的本身，只有三百四十五字。这篇记载可以好好地看看。《史记》写战争，仅《项羽本纪》一篇就有很多精彩的描写。巨鹿之战和垓下之围是写得最著名的。它写巨鹿之战：

项羽已杀卿子冠军，威震楚国，名闻诸侯。乃遣当阳君、蒲将军将卒二万渡河，救巨鹿。战少利，陈余复请兵。项羽乃悉引兵渡河。皆沉船，破釜甑，烧庐舍，持三日粮，以示士卒必死，无一还心。于是，至则围王离，与秦军遇。九战，绝其甬道，大破之。杀苏角，虏王离。涉间不降楚，自烧杀。当是时，楚兵冠诸侯。诸侯军救巨鹿下者十余壁，莫敢纵兵。及楚击秦，诸将皆从壁上观。楚战士无不一以当十。楚兵呼声动天。诸侯军无不人人惴恐。于是，已破秦军，项羽召见诸侯将。入辕门，无不膝行而前，莫敢仰视。项羽由是始为诸侯上将军，诸侯皆属焉。

这里，写出了项羽的威武、风度、对敌的决心和震慑人心的胆力，给人以深刻的印象。《通鉴》写赤壁之战和淝水之战，都是有名的篇章。它写刘裕伐南燕，韦孝宽守玉壁，都写得很出色。它写李愬雪夜入蔡州是这样写的：

辛未，李愬命马步都虞侯、随州刺史史旻，留镇文城。命李祐、李忠义帅突将三千为前驱。自与监军将三千人为中军。命李进诚将三千人殿其后。军出，不知所之。愬曰："但东行！"行六十里，夜至张柴村，尽杀其戍卒及烽子，据其栅。命士少休，食乾精，整羁靮，留义成军五百人镇之，以断洄曲及诸道桥梁。

复夜引兵出门。诸将请所之。愬曰："入蔡州取吴元济！"诸将皆失色。监军哭曰："果落李祐奸计！"时大风雪，旌旗裂，人马冻死者相望。天阴黑，自张柴村以东道路皆官军所未尝行。人人自以为必死。然畏愬，莫敢违。

夜半，雪愈甚。行七十里至州城。近城有鹅鸭池。愬令击之，以混军声。自吴少诚拒命，官军不至蔡州城下三十余年，故蔡人不为备。壬申四鼓，愬至城下，无一人知者。李祐、李忠义镬其城为坎，以先登。壮士从之。守门卒方熟寐，尽杀之，而留击柝者，使击柝如故。遂开门纳众。及里城，亦然。城中皆不之觉。鸡鸣雪止。愬入居元济外宅。或告元济曰："官军至矣！"元济尚寝，笑曰："俘囚为盗耳。晓当尽戮之。"又有告者曰："城陷矣！”元济曰：“此必洄曲子弟就吾求寒衣也。”起听于廷。闻愬军号令曰：“常侍传语。”应者近万人。元济始惧曰：“何等常侍，能至于此！”乃帅左右登牙城拒战。

这写的是战争，但写出了一幅恬静的雪夜行军的画卷。所写李愬的沉着、机警、严整的军纪和准确的奇袭，都是在悄然无声中进行，但每一活动又在抓住人们的心弦。过去的中学语文课本中选了这一篇做教材，我看还应该把它推荐给大学历史系学生，请他们好好诵读欣赏。

我想附带在这里说一下。近来，我有个想法。我认为，历史是一门科学，同时也是一种重要的思想教育工具。我们不应该简单地说历史知识、历史教学，还应该强调历史教育。历史教育的重大意义，第一，是要让年轻一代懂得做人的道理。第二，是要他们懂得历代的治乱兴衰，培养他们的政治兴趣，关心当前的政治形势。第三，是历史前途的教育，要引导他们向前看，而不是向后看。有一些人认为，历史只是讲过去的事情，跟现在没有关系。这是错误的看法。学历史，固然要了解过去，但了解过去是为了解释现在，观察未来。我们不能说每一个历史工作者对未来都能作很好的观察，但我们应该要求，对人类的未来，对祖国的未来能作比较清醒的观察。今天是昨天的继续，明天是今天的发展，这是不能割断的。我们要把历史科学这个工具掌握起来，要有深刻的理论分析，但绝不能不要求文字上能善于表述。文字作为宣传的手段，比口头的讲解要更广泛、更持久。文风问题还是当前很重要的问题。

客甲：这些年，对于历史的文字表述，确实不注意。短时间，文风恐怕改不过来。但只要大家认为需要改、努力改，总还是可以改过来的。关于历史的文字表述，是否还有别的问题可以谈一谈？

客乙：记得顾炎武的《日知录》里有“文章烦简”和“《史记》于序事中寓论断”的专条，是否都是关于历史的文字表述之重要问题？

答：史文烦简，是一个争论颇久的问题。汉献帝因《汉书》篇幅过多，命荀悦删为《汉纪》，把一部百卷的书改写为三十卷的书。刘知几说这书，“历代褒之，有逾本传”。这还是因为《汉纪》简约，读者认为比《汉书》方便，不一定就是以文字的烦简定两书的高下。晋代干宝评论各家史书，特别推重《左传》，说它“以三十卷之约，括囊二百四十年之事，靡有孑遗，斯盖立言之高标，著作之良模也”。这就有意识地以简约为高了。另一个晋代人，张世伟著《班马优劣论》，说司马迁叙三千年事，只有五十万字，而班固叙二百四十年事，却写了八十万字，“是班不如马也”。这就完全是以文字的烦简定史书的优劣。因此，文章烦简就简直是一个大问题了。

刘知几著《史通》，有《烦省》一篇。他认为史书的烦简，同历史条件有关。古代的史，因为记载少，各地的消息不灵通，就不容易把书写成较多的篇幅。后来的材料多了，交通比较方便，史书的篇幅就易于多了起来。刘知几认为，不应当拿篇幅的多少，定史书的高下。如果说《左传》写得简，但书里边也还有一些不必写的东西。如果说《汉书》写得繁，也有一些重要的史事不见于记录。他指出：“夫论史之烦省者，但当要其事有妄载，苦于榛芜，言有阙书，伤于简略，斯则可矣。”这是说，杂乱的记载是繁，该写的不写是省，都是不对的。他在《书事》篇中说：“夫记事之体，欲简而且详，疏而不漏，若烦则尽取，省则多捐，此乃忘折中之宜，失均平之理。”这段话对史文的烦简，说得比较公平，可以说没有什么偏见。但魏晋以后的文风，偏于浮华，因而刘知几在《史通》的《浮词》、《叙事》、《书事》、《点烦》等篇，都特别强调一个“简”字。在《叙事》篇中，提出来文章有显有晦：“显也者，繁词缛说，理尽于篇中。晦也者，省字约文，事溢于句外。”他接着又说：“夫能略小存大，举重明轻，一言而巨细咸该，片语而洪纤靡漏，此皆用晦之道也。”这所谓“用晦”有突出重点的意思，也有含蓄和凝练的意思，好像类似于概括，但跟概括的意义又不相同。他举的例子，如说“帝乃殂落，百姓如丧考妣”，如说“启呱呱而泣，予不子”，这或用比喻表现百姓的哀痛，或用顾不上家庭私事以表示禹以全力去治水。但像这类例子，似乎还不能说明“用晦”的表述方法。

顾炎武的“文章烦简”说：“辞主乎达，不论其繁与简也。繁简之论兴，而文亡矣。”顾炎武提的这个“达”字，比刘知几对烦简的看法，要更加明确。在具体的论述中，他对于不适当的简，说得比较多。他说：“《史记》之繁处，必胜于《汉书》之简处。《新唐书》之简也，不简于事而简于文，其所以病也。”他又说道：“班孟坚为书，束于成格而不得变化。且如《史记·淮阴侯传》末载蒯通事，令人读之，感慨有余味。《淮南王传》中，伍被与王答问语，情态横出，文亦工妙。今悉删之，而以蒯、伍合江充、息夫躬为一传。……二淮传寥落不堪读矣。”他又引了《孟子》的两段话如下：

齐人有一妻一妾，而处室者。其良人出，则必餍酒肉而后反。其妻问所与饮食者，则尽富贵也。其妻告其妾曰：“良人出，则必餍酒而后反。问其与饮食者，尽富贵也，而未尝有显者来。吾将瞷良人之所之也。”

有馈生鱼于郑子产。子产使校人畜之池。校人烹之，反命曰：“始舍之，圉圉焉，少则洋洋焉，悠然而逝。”子产曰：“得其所哉，得其所哉！”校人出，曰：“孰谓子产智？予既烹而食之，曰得其所哉！得其所哉！”

顾炎武认为，写这两段故事，“必须重叠而情事乃尽。此孟子文章之妙。使入《新唐书》，于齐人则必曰‘其妻疑而瞷之’，于子产则必曰‘校人出而笑之’，两言而已矣”。他接着说：“是故辞主乎达，不主乎简。刘器之曰：‘《新唐书》叙事好简略其辞，故其事多郁而不明。’此作史之病也。”顾炎武的话说得很好，对史文烦简有较深的理解。

史文烦简，不只是一个简单的文字问题，而且是关系到对历史的见解问题，对材料的取舍问题。仅就文字方面来说，今天我们也有一个烦简问题。有时候，我们写史学论文或历史书，泛论多，也有一些没有根据的话，也有以经典词句代替史事的地方，这都是失之于烦。另外，写得不透，写得不具体，写得囫囵吞枣，这都是失之于简。这两种毛病往往在同一作品里都可出现。现在有些书，题名为简明什么。既简而明，是好的。但有的书，虽称为简明，简则简矣，明则未也。乍看起来，史文烦简只是个写得多少的问题，实际上很复杂。把这个问题处理得好，既要有清醒的认识，也要认真付出点工力。

客乙：史文烦简问题，咱们谈得不少了。是否可以谈谈“于序事中寓论断”呢？

答：这是史论和史事间的关系之表达形式问题。《日知录》卷二十六的“《史记》于序事中寓论断”，原文如下：

> 古人作史，有不待论断而于序事之中即见其指者，惟太史公能之。《平准书》末载卜式语，《王翦传》末载客语，《荆轲传》末载鲁句践语，《晁错传》末载邓公与景帝语，《武安侯田蚡传》末载武帝语，皆史家于序事中寓论断法也。后人知此法者，鲜矣。惟班孟坚间一有之。如《霍光传》载任宣与霍禹语，见光多作威福。《黄霸传》载张敞奏，见祥瑞多不以实，通传皆褒，独此寓贬，可谓得太史公之法者矣。

《史记》于序事中寓论断，事实上远比顾炎武所说丰富得多。《史记》中这样的例子，到处可见。例如，《万石张叔列传》写万石君石奋的恭谨家风，极为深刻。它写万石君的长子建和少子庆的故事：

> 建为郎中令，事有可言，屏人，恣言极切。至廷见，如不能言者。是以上乃亲尊礼之。
>
> 建为郎中令，书奏事。事下，建读之，曰："误书！'马'者与尾当五，今乃四，不足一。上谴，死矣！"甚惶恐。其为谨慎，虽他皆如是。
>
> 万石君少子庆为太仆。御出，上问车中几马。庆以策数马毕，举手曰："六马。"庆于诸子中最为简易矣，然犹如此。

它写的是石家兄弟恭谨的憨态，也写的是他们善于做官。他写的好像只是细琐小事，却反映了朝廷上的政治气氛。1961年，我写了一篇《司马迁寓论断于序事》，在《北京师范大学学报》发表。在1980年第1期《史学史资料》，我再一次发表了这篇文章。文章里说得比较详细。如果你们有兴趣，可以找出来看看。

史论的形式，可以有好多种，可以是夹叙夹议的，也可以是专论的。《史记》的《伯夷列传》、《货殖列传》、《平准书》等，都是夹叙夹议的佳作。《十二诸侯年表》、《六国年表》、《秦楚之际月表》的序，也都是指陈一代形势的重要论著。《汉书》中也有一些好的史论。《公孙弘传·赞》，综述了汉武帝和汉宣帝时期人才之盛，是一篇好文章。《文选》在《汉书》中选上了这一篇，是有道理的。《后汉书》作者自称："吾杂传论皆有精意深旨。既有裁味，故约其词句。至于《循吏》以下，及六夷诸序论，笔势纵放，实天下之奇作。"他的《党锢》、《循吏》、《宦者》各传的序，写得确实不错。隋唐以下，魏徵、杜佑、司马光、欧阳修、郑樵、马端临的史论，都有精彩之作。明清之际，王夫之的《读通鉴论》和《宋论》都发展成为史论专书的杰作。黄宗羲的《明夷待访录》、唐甄的《潜书》是有名的政论书，也是有代表性的史论书。清代末叶以来，关于史论的著作就更多了。这都有待于研究和整理。

在50年代，我们曾有过关于史与论的讨论。最近，还有人提起这个问题。就整个史学工作者说，要以马克思主义的理论为指导，占有大量材料，去伪存真，去粗存精，分析综合，得出新的结论，这是不可怀疑的科学方法。就文字表述形式上说，论在史前也好，论在史后也好，于序事中寓论断也好，总不能离开历史事实而发空论。1934年5月16日，苏联人民委员会和联共（布）中央关于苏联各学校讲授本国历史的决定中说："苏联各学校中的历史教学情况不能令人满意。教科书和教学本身，都流于抽象化和公式化。在本国史的教学中，不是采取生动活泼的方式和依照年代次序叙述最重要的事件和事实以及历史人物的特点，而是向学生讲授一些社会经济形态的抽象定义，这样就以抽象的社会学公式代替了本国历史的系统叙述。"像这个决定里指出的毛病，我们在多少年来不是没有的。这两年，情况好得多了。以后，总还要好些。要言之有物，这是一个水平问题，是要付出劳动的。

客甲：咱们是不是还可以谈得更广泛一些，谈谈史和文的关系？我们说的史，是指历史本身或史书，文指文学作品和各种体裁的文章，也包括诗词曲等在内。

答：关于这个问题，咱们主要谈谈"文中见史"的问题。历史上有许多重要的社会现象，在史书里未必有正式的记载，但在一些文章里面倒可以反映出来。例如，李斯《谏逐客书》是一篇有名的文章，但文章里所反映的历史情况并不是都被注意到的。文章说："必秦国之所生然后可，则是夜光之璧不饰朝廷，犀象之器不为玩好，郑卫之女不充后宫，而骏良駃騠不实外厩，江南金锡不为用，蜀之丹青不为采。所以饰后宫、充下陈、娱心意、说耳目者必出于秦然后可，则是宛珠之簪、傅玑之珥、阿缟之衣、锦绣之饰不进于前，而随俗雅化、佳冶窈窕赵女不立于侧也。”这可见，远在灭六国之前，秦王政已是这样的奢侈享乐，而后来做了皇帝，只是把这种生活更向高度发展了。贾谊《陈政事疏》，说秦俗“家富子壮则出分，家贫子壮则出赘。借父耰鉏，虑有德色；母取箕帚，立而谇语。抱哺其子，与公并倨。妇姑不相说，则反唇而相稽”。这说的是商鞅变法对秦国风俗的影响，是一条很重要的社会史料。可能有些夸大，但在一定程度上反映了当时情况。《史记》、《汉书》分别收录了这两篇文章，也是“以文见史”的意思，但司马迁、班固对这两篇文章的着眼点，不会完全跟我们相同。我们对这两篇文章，还可以另眼相看的。历代这样的文章很多。看这样的文章，比看正式的历史记载，还会感到更为具体。《昭明文选》、《唐文粹》、《宋文鉴》、《元文类》、《明文衡》等书，收集了当时所认为有代表性的作品，其中有不少文章是可以反映当时的历史情况的。《明经世文编》和《清经世文编》收集了当时有关政治经济的大量文章，都是很重要的历史资料。历史的诗文集数量很大，我们很难阅读得太多。但对历代的总集，是应该阅读的。历代各大家的作品，也应该有选择地阅读。章学诚把《太和通选》说成是以“词章存文献”，认为是通史的一种体裁。他论方志的体裁，主张立“文征”一体，就是要以文见史。

客甲：文中有史，是不是由来已久？

答：《尚书》里边收入的誓、命、训、诰，金文里的很多铭词，都是当时的文，这些文反映了重要的历史内容。《诗经》里，《周颂》、《商颂》和《大雅》都有不少篇章是有历史内容的，有些篇简直可以说就是史诗。

客乙：在后来诗人的作品中，在大家熟知的杜甫的作品以外，是否也有大量反映历史内容的东西？

答：反映历史情况的诗篇是大量的。如果我们善于发现，不少诗篇都可供我们做研究历史之用。当然，作为诗篇，总不免有夸大的地方，但被夸大的东西，往往是突出了历史的问题，这要善于分析。

唐代诗人元稹有一首《织女词》，其中有句云：“东家头白双女儿，为解挑纹嫁不得。”这很少的十四个字，活画出工艺世袭的顽固性。因为技术只能为一家一姓所占有，只许传儿子，不许传女儿。这个东家没有儿子，就把挑纹的技术传给女儿了。也正因为这样，两个女儿就不能出嫁，一直等到头发白了，还要待在父亲的家里。这是关系到工艺传授的封建性问题，关系到中国封建社会生产力的发展问题。像这样的材料是很重要的，在历史书里就不容易找出来。

唐代又一诗人白居易，有《朱陈村》诗：

> 徐州古丰县，有村曰朱陈。去县百余里，桑麻青氛氲。机梭声扎扎，牛驴走纷纷。女汲涧中水，男采山上薪。县远官事少，山深人俗淳。有财不行商，有丁不入军，家家守村业，头白不出门。生为陈村民，死为陈村尘。田中老与幼，相见何欣欣。一村唯两姓，世世为婚姻。亲疏居有族，少长游有群，黄鸡与白酒，欢会不隔旬。生者不远别，嫁娶先近邻。死者不远葬，坟墓多绕村。既安生与死，不苦形与神，所以多寿考，往往见玄孙。

侯外庐同志《中国封建社会史论》引用这诗，认为是唐人诗中对于农村公社的典型描写。不过他认为，诗人在这里将村社美化了，“男耕女织的公社中农民生活是极苦的”。这里写的是否农村公社，还可以有争议，但写出一个山村自给自足的景象，是很具体的。白居易还有一首《红线毯》诗：

> 红线毯，择茧缫丝清水煮，拣丝练线红蓝染。染为红

线红于花，织作披香殿上毯。披香殿广十丈余，红线织成可殿铺。采丝茸茸香拂拂，线软花虚不胜物。美人踏上歌舞来，罗袜绣鞋随步没。太原毯涩毳缕硬，蜀都褥薄锯花冷。不如此毯温且柔，年年十月来宣州。宣州太守加样织，自谓为臣能竭力。百夫同担进宫中，线厚丝多卷不得。宣州太守知不知？一丈毯，千两丝。地不知寒人要暖，少夺人衣作地衣！

这首诗揭露了宣州太守残酷地压榨劳动人民的血汗，织成红线毯，进奉宫中，希求皇家的恩宠。美人歌舞可以绣鞋随步没的柔软毯丝正是织工一缕一缕的血汗。“夺人衣作地衣”，写出了劳动人民的多少辛酸、血泪！白居易的《新乐府》和《秦中吟》，有不少反映当时社会动乱和民生凋敝的好诗。像这一类的诗篇，我们历史工作者是不能轻易放过的。在当代历史家中，陈寅恪先生善于以史释诗，以史证诗。他的《元白诗笺证稿》和《柳如是别传》是这方面的力著。贺昌群先生也是长于此道的。他们的著作都可以供我们研究参考。

我还愿意在这里附带说几句话。我们高等学校的历史系课程设置，眼光太狭隘，系里开一门文选，还要规定成历史文选，不是历史书中的文章不选。就是这一门历史文选课，也不受人重视。好像这门课是可有可无的。曾经有相当长一个时期，只把历史文选看成是配合中国古代史的课程。根本不承认这门课程有它的独立性。其实，一个历史工作者必须有一定的文学修养。不要说我们历史上的大历史家都是文学家了，仅就一个普通的历史工作者来说，他对于文学没有一定的修养，是不能胜任这个工作的。我们历史系里，应该开设各种文学课程，任同学选读。这有助于改善我们的业务水平和写作水平。

客乙：是否有这样的作品，既可以说是历史书，又可以说是文学书？

答：这样的书是有的。您说的意思是不是将《史记》、《汉书》等书除外？当然，《史记》、《汉书》、《后汉书》、《三国志》既是历史书，也可以说是文学书，但究竟是历史书。它们是历史书，而具有相当高的文学水平。但确实有一些书，同时具备了历史书和文学书的性质，而不好说它主要是属于哪种性质的。如《盐铁论》、《世说新语》等就是这样的书。但这样的书毕竟不多。

客甲：今年1月间，您跟我们初次谈史学遗产的时候，还有一个问题是关于历史研究对象的，您是不是找个时间，跟我们谈谈？

答：对于这个问题，还需要多查一些材料。我暂时还难得有这样的时间。希望能找到一个同志，就这个问题专写一篇文章发表。咱们就不一定再谈了。关于史学遗产问题的讨论，咱们是不是就可以告一段落了？

客乙：关于史学遗产，是不是还有别的问题可谈呀？

答：咱们这几次所谈过的一些东西，当然都还有待于深入研究。我说过的一些话，不一定对。我们没有谈到的问题，也还不少。将来有机会，我很乐意跟你们再谈。这几次谈话占用了你们好多时间。你们耐心听了我的话，并提出了一些问题，对我很有启发。谢谢你们。

客甲、客乙：还是应该多谢谢您！祝福您身体健康！再见。

答：再见。

（原载《史学史研究》1981 年第 4 期）

再谈历史文献学

时间：1982年7月

地点：北京师范大学史学研究所

来客：客丙、客丁

客丙：我们读到您在《史学史研究》上四篇答客问，很有兴趣。在第四篇末尾，看到您好像是不准备再谈了。我们很希望您继续谈下去，多发表几篇“答客问”。这大半年，自中央提出了整理古籍的号召后，不少人愿意参加这个工作，这跟历史文献学很有关系。您是不是可以再谈谈与历史文献学有关的一些问题？

答：去年6月间，发表了那一篇《谈历史文献学》以后，继续考虑了一些问题。也有一些同志，特别是楚图南同志鼓励我，把“答客问”写下去，不只是四篇、五篇地写下去，而是要四五十篇地写下去。这种鼓励给我增加了不少的力量。尽管新意不多，但提出来跟大家商量，也是应该做的。现在我们就从历史文献学开头，再谈一些有关史学遗产的问题。

客丁：听说有些高等学校要开历史文献学这门课程，但不知要讲些什么。您是不是可以就有关历史文献学总的方面，谈一谈您的意见？

答：历史文献学这门学科还没有建立起来。从总的方面来讨论，是很需要的。但我也只能谈一点粗浅的意见。我想，历史文献学，或者更正确地说，中国历史文献学，可以包含四个部分。① 理论的部分；② 历史的部分；③ 分类学的部分；④ 应用的部分。这样的分法，未必合适。现在这样分，也只是便于说明问题。

理论的问题，现在考虑到的，有这样的几个方面：① 历史和历史文献；② 历史学和历史文献学；③ 历史文献作为史料的局限性；④ 历史文献的多重性；⑤ 历史文献和有关的学科。

历史，指的是客观的历史，即历史发展过程的本身；历史文献，是指关于历史的记录或历史现象在文字上的反映。这种区别本来很明白易懂。但历史本身是一去不复返了，我们对于历史的认识主要是依靠历史文献，因而不少的人把两者混淆起来，甚至有不少有学问的人也认为研究历史文献就是研究历史。我们说，把文献作为历史资料去研究，目的在于通过资料去了解历史，这才是研究历史。如果把研究兴趣仅限于历史文献的考订，那只能说是研究历史文献，而不能说是研究历史。当然，研究历史文献对于研究历史是有所帮助的，但两者不能等同起来。把两者等同起来，既不利于历史研究，也会把历史文献的研究目的弄模糊了。弄清楚这一点，是很必要的。

历史文献跟历史有区别，但历史的研究又离不开历史文献。从学科的关系上说，历史学包含的内容比较多。这首先是历史观点。无论是有意的或无意的，一定的史学工作总是以一定的观点做指导的。在一定的观点指导下，通过对材料的分析和综合，可以充实原有的观点或改变原有的观点，而得出新的结论。这是史学工作经常经历的过程。史学的著作总要有一定的表现形式。这种形式包含两个方面，一个是著作的结构，一个是文字的表述。我的看法是关于历史观点、历史资料、史书的结构和文字表述的研究，都属于史学的范围。而历史文献只是属于历史资料的范围而占有重要地位的。历史文献的研究是史学工作中必不可缺的，但也只是史学的一部分。

历史文献作为历史资料，还有它的局限性。第一，历史文献资料只是史料的一部分，考古学的资料和民间的口碑也都在史料中占有相当的地位。解放以来，古文化遗址和历代文物不断有大量的新发现，其中有很多东西可以补文献的不足。民族地区的历史、社会和民间文学的调查，以及其他各种社会调查，都提供了丰富的史料内容。研究历史，单靠文献资料有时是不够的，要把文献资料、考古学资料和社会调查资料结合起来才更有用。反过来说，离开了文献资料，单凭考古学资料，对于有文字记载时期的历史来说，也是不够的。我们应该知道历史文献的不足，同时也要善于利用历史文献。第二，文献资料有不少失实的东西。其中，有的是由于史官的有意歪曲，有的是由于记录人的认识不足，有的是由于传闻的失误。还有由于多年的传抄、刊刻，文字上的伪误脱衍倒错也不少。像这样的材料都有待考订以后，才能使用。第三，不少文献资料是脱了线的。尽管资料内容很好，但时间和地点都不可考，都不易利用。第四，在文献资料中有一个传统的毛病，就是记载笼统，有时还多过于夸大。比方说，记载中形容社会凋零景象，爱说“十室九空”，这显然是夸张之词，是不应该轻易置信的。所有这些局限，都是需要由历史文献学的工作去解决的。

以上关于这三个问题，我说的只是老生常谈。但还是应该注意的。

客丁：对这些问题，我们确是注意得不够。特别是历史和历史文献的区别，说起来也懂得，但在工作中往往就忽略了。我记得李大钊同志把写的历史和活的历史分开，也就是这个意思。

答：李大钊同志有一本《史学要论》，在中国近代史学的发展上，是一本很重要的书。大钊同志在《史学要论》第一章中就着重谈了这个问题。《史学要论》是1924年上海商务印书馆出版的，是百科小丛书的一种，一向注意的人很少。《李大钊选集》只收了这本书的很少的一部分。前年，北京师范大学史学研究所出了个单行本，校印得不精，但还是应该介绍给大家看的。

客丁：您说的历史文献的多重性是什么意思？这好像是一种新的提法。

答：多重性这种提法，可能不确切，我们姑且这么说。我说的多重性，第一，是说一种历史文献总是反映一定的历史现象，这是大家都知道的。第二，把不同的、有代表性的历史文献联系起来，去伪存真，去粗存精，从而观察规律性的东西。这就超出了一个一个的具体历史记载的范围以外了。这种性能不一定是文献本身所固有的，往往是史学工作者所赋予的。第三，文献不一定是死的东西，其中有不少是一直到现在还有生命力的东西。我的意思包含两点：历史文献，从内容到形式，有不少东西对于我们今天的史学工作还产生着影响，这是一点。历史文献中的具体记载在一般的政治资料以外，还有思想资料、艺术资料、文学资料、科技资料等等。在这些资料中，也是有一些值得我们现在还可以学习的东西。这是又一点。对于历史文献学的专业工作者来说，考订文献可以说就是他们的本职工作。但思想活跃一些、视野开阔一些、联系的方面多一些，对一个文献工作者来说，可能是有更多好处的。

客丙：现在是不是可以谈历史文献和其他学科的关系？

答：历史文献本身有各种不同的门类，也就需要分别地同相应的学科发生联系。比如，《氾胜之书》、《齐民要术》的整理需要有丰富的农学知识，石声汉同志在这方面做的工作就做得不错。《算经十书》的整理，需要丰富的数学知识，钱宝琮同志就整理得好。其他如《梦溪笔谈》、《天工开物》等书的整理，更需要丰富的科学知识和工艺知识。历史文献的工作者不可能精通各种学科，但他最好能懂得一些比较多的学科。

我在《史学史研究》1981年第2期里的那篇文章里说："历史文献学还包含有古汉语、古民族语文、甲骨文字、金石文字、年代学、历史地理学等等。"这句话有毛病。这些学科都有它们的独立性或相对独立性。它们是历史文献学所要联系的学科，不能说它们是属于历史文献学的范围。究竟哪些学科同历史文献学的关系最密切，这要看具体情况。一般地说，年代学和历史地理学跟历史文献学的关系是最密切的。它们一个是讲时间，一个是讲空间，是历史发展过程中所不能离开的。当然，研究中国文献，要精通古汉语，还要精通近代汉语。研究兄弟民族历史文献，要学习有关的民族语文。

客丁：现在换一个问题谈谈吧。历史文献学有历史的部分，这是不是跟史学史差不多呢？

答：像很多事物有自己的发展史一样，历史文献也有自己的发展史。一般的看法，好像历史文献都是很死板的东西，只有这一文献跟那一文献的不同、这一时期的文献跟那一时期的文献不同，而谈不到有什么发展史。这种看法只是看到文献是一个一个的存在，而没有注意到历史文献自出世以后所经历的长时期的变化。每一历史文献不能脱离它的时代，不能不带有时代的烙印。每一时期的历史文献不能不受前一时期的影响，也不能不影响后一时期的历史文献。联系不同时期的历史文献来看，它们也是从低级到高级发展，而每一历史文献都是变化发展过程中的个体。对历史文献必须历史地看，要从各方面的联系中看历史文献，才能比较深刻地理解历史文献在社会生活中的作用，在史学工作中的作用。从有历史文献的那一天起，如甲骨文，记载的就只有统治者的具体活动和思想意识。此后，官府的载籍一直是历史文献的主体。《尚书》、《雅》、《颂》、《易经》以及《国语》、《世本》等都是官书。《春秋》可说是私人著作的创始。而《春秋》和《左传》也是根据官方材料写成书的。战国时期，私人著述的风气渐盛。这些著作，就一个学派内部说，往往是带有经典性的文献。在我们今天来看，也顶多不过是学术性的文献。如从数量上说，战国时期传留下来一些私人著作，较之当时的官府载籍恐怕是少得可怜。经秦火和项羽烧秦宫室之后，各国载籍多荡然无存，在《史记》里只是略存其踪迹。两汉时期，官家文书记载和档案制度逐渐具备，私人著述的史文辞赋和各种技艺书也多起来。此后，社会生产力有了进步，政权组织扩大了，文化水平提高了，造纸术发展了，印刷术也发展了，公私载籍越来越多了。大体说来，官家载籍在任何时期都是大量的，但能得到妥善的保管而流传下来的总是比较少的，也可以说是非常少的。私家载籍，在数量上，在任何时期恐怕都不能跟官家的相比。但有了造纸术和印刷术后，能流传下来的，显然是越来越多了。目前，有人估计现存我国古籍有若干万种，其中包含了不少的官书。但如就北京、南京和各地收藏的档案来说，那数量就不知比现存古籍要多多少倍。记载经验本身的长期积累，也可以促进公私文献的发展，但陈旧的积习也会顽固地阻碍文献工作的进步。研究历史文献本身的发展史，研究它们与当时社会生活的关系，研究官私文献之不同的特点及其在发展进程中经历的异同，这有助于对它们的认识，并可以从而考虑如何改善对它们的管理和传播，如何进一步发挥它们的作用，使之为各种有关的建设事业服务。

章学诚对古籍提出了“记注”和“撰述”的区别。他在《文史通义·书教下》有一段话说：

> 《易》曰：“蓍之德圆而神，卦之德方以智。”间尝窃取其义，以概古今之载籍。撰述欲其圆而神，记注欲其方以智也。夫“智以藏往，神以知来”。记注欲往事之不忘，撰述欲来者之兴起。故记注藏往，似智；而撰述知来，拟神也。藏往，欲其赅备无遗，故体有一定，而其德为方。知来，欲其抉择去取，故例不拘常，而其德为圆。周官三百六十，天人官曲之，故可谓无不备矣。然诸史皆掌记注，而未尝有撰述之官。则传世行远之业不可拘于职司，必待其人而后行。非圣哲神明，深知二帝三王精微之极致，不足以与此。此《尚书》之所以无定法也。

这段话不大好懂。大概的意思是，他借用《易经》上的话，把载籍分为两类，并说明其特点。一类是记注，粗浅地说，就是史事的记录。记注的目的是要人们不要把过去的事情忘掉。它的要求是要详细地、没有遗漏地记述史事，它的体例有一定的规格。又一类是撰述，用现在的话说，就是著作。著作要展望未来的事情，对于它所涉及到的史事，有所选择取舍，在体例上没有一定的规格。记注，有专职的官来执掌，而撰述并没有设官。章学诚认为，撰述是传世行远之业，不是一般的史官所能做到的，一定要有适当的人才能办到。他认为《尚书》无定法，是符合于他所谓撰述的。他认为《尚书》的编定，如果不是深知二帝三王精微之极致的人，是做不到的。章学诚这些议论，如对于《尚书》的看法，不一定就对。但关于记注和撰述的提法，我们也是可以借来说明历史文献方面的问题的。关于历史的记注，这是历史文献的一大类。大量的官书，和一些私人的历史记载，都属于这一类。这一类的文献，无论它是否可靠，目的都在于反映社会情况。那些有意于作伪的人，也不过是要反映伪造的社会情况。记注如现存的历史档案，其中包含了一些可贵的原始的资料，但有不少弄虚作假的东西。这类文献，总的说来，是没有加过工的资料，其可贵的地方在此，价值不高的地方也在此。撰述是要知来，对于史料的运用，不是讲完备，而是有取有舍，重要的在于作者的思想和表述的组织，这都是对史料加工提高以后的成果。这一类的文献，其中有时未免失真。但一般地说，对于读者可能有更多的帮助。它们虽非原始的东西，但往往可能比较集中地表述了历史的真相。从思想资料、艺术资料、文学资料以及其他学术方面的资料来看，这类文献提供的比较多一些。目前有一部分同志认为，只有原始资料才是更宝贵的，发现一件不经常见的文献，往往表现得相当激动，而对于历史的撰述的重要性，往往估计不足。这是带有片面性的。我们研究历史文献，也要把这两类文献加以区别，分别观察它们的发展史、它们相互之间的关系史。当然，这两种分类也不是绝对的，要看以哪一类的性质为主。班固的《汉书》是撰述，但带有很浓厚的记注性质。历代官修的史书，多属于记注性质，但也往往有撰述的因素，这是要具体分析的。

历史文献的发展史，还可以从好几方面来说。这里有历史记录条件在完备程度上的发展，有书写工具的发展，保管和传播的发展，著录和考订的发展，还有历史文献学本身也有它的发展史。

历史记录条件完备程度，指的是时间、地点、人物、活动等。在甲骨文里，有好多地方的记载是具备了这四个条件的。在时间的记载上，有的只记了日，而没有记年月。有的记了年、月、日，而是在记载的开头记日，在末尾记月，紧接着再记年。例如，《殷虚书契》前编卷三有这样的写法："癸未，王卜……在四月，佳王二祀。"在金文里，如《大盂鼎》在开端写"佳九月，王在宗周令盂"，而在结尾写"佳王廿又三祀"。《小盂鼎》在开端写"佳八月既望，辰在甲申"，而在结尾写"佳王廿又五祀"。这是先写月，写日，最后写年。还有一种写法，是一开头就写出年月日来。如《颂鼎》："佳三年五月既死霸甲戌，王在周康邵宫。"最后这种写法逐渐成了历史文献中一个固定通用的形式。后来皇帝有了年号，又要用年号去记时间。近代中外关系频繁以后，既要用中国的历法，又要写上西历。共和国成立后，西历就成了我们记年的形式。此外，在文献上有标题，在某些文书上有事由的摘要，这也属于记载条件的范围。记载条件具备的程度，也反映了历史文献的发展水平。

书写工具，最初是用金属工具刻在兽骨、龟甲上，后来雕镂在金石上，再后是写在竹木简上、写在帛上。有了纸，书写才有了很多的方便。文献的保管，最初都在官府。后来有了私人的收藏。又后来，有了私人藏书家的出现。但官府所藏，一直是数量最大的。近代才有公家的收藏，如学校的图书馆、地方的图书馆以及社会集团的图书馆。这既不是官家的，也不是私人的。保管的方法，也长期地积累了不少的经验。文献的传播，最初只是极少量的传抄，还有靠口头流传的。造纸术发明了，传抄有了便利。印刷术出现了，传播有了更大的便利。活字版、印刷机、影印术的出现，为传播提供了越来越大的方便。文献的著录是关于文献的登记和说明，为使用文献的人提供检索的方便。文献的考订是对某种文献进行版本上和一定内容上的考证。我们平常所说的考据学，实际上不是一门独立的学科，而是附属于各个学科之内的。对文献的考订，就是历史文献学内的考据学。以上这些问题都可以进行研究，都有它们丰富的历史内容。至于历史文献学本身，过去的前辈们做了不少实际的工作，也有不少的贡献。但有意识地把它树立起来，成立一门学科，这还是我们今天应该承担的任务。我们应该总结前人在这方面的成果，加以提高。

客丁：您说的关于历史文献学的历史部分，看来需要研究的问题还很多。但历史文献学的历史部分跟史学史有什么区别，您还没有说出来，您是不是可以简单地谈一谈呢？

答：史学史的对象包括历史观点、历史文献学、历史编著的研究和历史文学，而历史文献学的历史部分，只讲历史文献。史学史的目的在探索史学在历代的成就及其发展规律，主要是以历代有突出成就的史书或史论为时代的标志。历史文献学所关心的，是书写工具的发展、保管和传播的发展、著录和考订的发展等，在史学史里并不占有什么地位。反之，史学史所重视的时代的代表作，从历史文献学的历史部分来看，倒也不一定显得多么重要，最多也不过是一些较好的文献而已。总之，史学史的研究对象和研究目的跟历史文献的历史部分的对象和目的都不一样。史学史虽包括历史文献学，但指的是历史文献学的历史、历史文献学与史学其他部门的关系史，而不是一般的历史文献。历史文献跟历史文献学有密切的联系，但并不是一样的东西。区别两种类似或接近的学科，往往不容易谈清楚。不知我对你们所要我作出的区别，说清楚没有？

在工作中，还碰到有些同志问到“史学概论”同历史文献学的关系。我想在这里，也顺便谈一谈。史学概论是一个有待建立的学科，究竟要讲些什么，还有待于研究。顾名思义，史学概论应该论及古今中外的史学，为有志于史学的青年提供一个入门的阶梯。按目前我国史学界的现状，能先就中国史学来概论一番，也就不错了。我的意思是，史学概论应说到历史和历史学的含义、史学的某些重要方面、史学与其他学科的关系，更应比较详细地有重点地论述一下中国近代史学的发展。对于历史文献，不可能占很多的篇幅，但也要说出一个大概的情况。对历史文献学的内容及方法，也要说一说，要明确历史文献学在史学中的应有地位。我想，史学概论跟历史文献学的关系是比较清楚的，用不着多说了。

客丙：您说的历史文献学的分类学部分，是否就是目录学？

答：某些学科对研究对象的分类，是一项很重要的科学工作。图书馆的图书分类法也是图书管理中的一项重要工作。文献的分类也应该是历史文献研究中的重要工作。文献分类，应该有理论上的原则，有具体的处理方法，问题还相当复杂，所以应该有一门讲文献分类的学问，不妨姑且名之曰历史文献学的分类学。旧日所谓目录学，跟这种分类学似不相同。目录学也讲分类，但目是书目，录是解题，一般是就书论书，提高到有系统有理论的“学”的程度的，似没有多少。分类学有统观全局的要求，这跟一般对目录学的要求是不同的。自《七略》以下，以至章学诚所说“考镜源流，辨章学术”，都可以说是属于分类学的范围，但还没有提到应有的高度。关于分类学这个问题，希望大家多研究研究，我还说不出来多少意见。

客丁：目录学跟文献学不同，当然不只说它们之间没有任何联系。如果从历史文献学之应用的方面考虑，一般所谓目录学的用处是不是显著些？

答：我去年发表的谈历史文献学那篇文章说到，历史文献学可以包含目录学、版本学、校勘学、辑佚学和辨伪学等。这都是从应用的方面说的。现在我们谈论的关于历史文献学的问题，比那时考虑的要多些。那篇文章所提到的目录学等，都已经作了一些说明，现在不再重复了。

以上我所提的四个方面的问题，不一定都对，是提出来跟同志们共同研究的。如果这些问题值得研究，并通过研究取得成果，对历史文献学的建立，可能多少有点用处。当然我们需要做的工作还很多，也很艰巨，但是也很有意义。

客丙：您看关于历史文献学的工作，当前最重要的是什么？

答：我看当前最重要的工作有两个：一个是展开学术性的讨论；又一个是要培养人。比如说我们集合一些同志，办一个历史文献讲习班，招收几十个学员。经过几年的培养，是不是就会培养一点人才。这件事，也容易也不容易，但是应该努力。

客丙、客丁：我们很希望有这样一个讲习班的出现。我们也愿意当这个讲习班的第一批学生。

答：哪里，还要请你们当教师呢。

客丁：今天就谈到这里吧。您这几天一连拔了六颗牙，还给我们讲了这么多，谢谢您！

答：还是谢谢你们吧。你们要是不提出问题，我也想不起来很多。

客丙、客丁：谢谢。再见！

附：《史记》新论

（一）《史记》写作的历史背景

司马迁的《史记》，是大家熟知的历史名著。他在《报任安书》[①] 中说，他写《史记》是为了“究天人之际，通古今之变，成一家之言”。这三句话的意思就是说，《史记》的写作目的是研究“天”和“人”之间的关系，把从古到今历史上的发展变化大势搞清楚，成为司马迁一家之言。现在看来，司马迁自我评价的这十五个字还是比较全面的，它既表达了司马迁写《史记》时的目的要求，也概括了《史记》这部书在史学上

---

① 《报任安书》是司马迁给他的朋友任安（即任少卿）的一封信。在信中，司马迁以激愤的心情叙述了自己因李陵事件蒙受宫刑的冤屈，同时说明自己之所以忍辱负重地活下来，是为了完成《史记》的编著，“亦欲以究天人之际，通古今之变，成一家之言”。《报任安书》是一篇感人很深的著名佳作。

的贡献，是对《史记》这部书的最好评价。

司马迁为什么提出这十五个字？这是有一定的历史条件、历史背景的。

《史记》写作的历史背景，可以从西周末年共和执政时说起，一直讲到司马迁写《史记》时为止。平常讲历史背景，一般只讲当时几年或几十年的事情，为什么这里要讲几百年呢？因为这几百年，无论从社会历史的发展或从历史研究的发展来说，都是一个非常重要的时期。《史记》的作者一方面接受了当时经济、政治发展的影响；另一方面又继承了过去几百年来史学思想和历史研究成就的传统。

《史记》的写作开始于公元前104年，到公元前91年前后才写完。从西周共和执政（公元前841年）到司马迁开始写《史记》，共有七百三十七年。在这个时期，社会发生了大变动。

西周和西周以前的历史，所记录的都是王朝的事情。尽管殷商、西周都有许多藩国，但从甲骨文来看，记载的都是王朝的活动。从《两周金文辞大系》中也可以看出，西周的作品也都是王朝的作品，没有记载诸侯的作品。《尚书》里的《商书》、《周书》也是讲王朝的活动。《诗经》里的《周颂》、《大雅》还是王朝的东西。王朝以外的历史记载很少。

从西周末年开始，王朝以外的历史记载才多起来。诸侯之国的活动，从鲁国、齐国、晋国、卫国开始，有了记载。有纪年可考的以鲁国为最早，其他国家大多从共和执政（公元前841年）以后的历史记载才有年代可考。从这里可以看出，西周末年是个变化开始的时期。武王灭纣以后，大规模封侯建国，山东东海，黄河中下游，到处都是它的侯国，同时，把周人的农业技术也带出去了。他们利用被征服的当地人民作为劳动力来开发土地，这在《诗经》、《左传》里都有记载。随着社会经济的发展，王朝与侯国之间、侯国相互之间往来逐渐增多，矛盾也逐渐多起来了，有阶级矛盾，也有统治阶级内部的矛盾。王朝与侯国之间、侯国与侯国之间的相互联系和彼此的冲突都随着往来的频繁而增加，因而历史的记载也多起来了。从现在留下来的史书看，如《春秋》、《左传》、《国语》，早从西周末年，晚到周平王末年，记载的都是有关征伐、会盟、朝聘、往来的事情。这些历史记载反映了在当时社会经济相当发展的条件下，彼此关系的复杂化。所以，从西周末年起，特别是从东周平王起，诸侯各国的历史也开始发展起来。这个时期正像通常历史学家说的那样：周天子权威旁落，诸侯掌权了。经过春秋、战国时期，秦统一了全国。秦统治的时间很短，但战争却很多。秦汉之际，斗争也很激烈，发生了陈胜、吴广起义，楚汉争霸。结果，由汉高祖称帝。此后，又从汉高祖传到汉武帝。《史记》的主要内容就是反映这些历史过程、事件和人物的。五帝和夏、商、周的事情讲得很少。

从西周末年到汉武帝统治的七百多年间，历史的变化很大，一个变动接着一个变动。从一个王国分封出好多侯国，其后又相互兼并，出现了战国七雄，随后秦又吞并六国，统一全中国。这是个什么性质的变化呢？对于这个问题，史学界目前还没有定论。如果说西周是封建社会，那么这七百多年的变化，就是从地方割据的封建社会发展到中央集权的封建社会；如果说西周是奴隶社会，那么最晚到春秋末年，社会性质就开始发生变化，到汉武帝时，封建社会形成了，各种制度基本上都建立起来了。汉武帝的活动，给以后很长一个时期封建社会的历史发展，留下了深刻的影响。因此，不管从哪一种分期的观点来看，这个时期都是一个大变动的时期。

《史记》写作的历史背景，就是这样一个漫长的、不断变化的历史时期，也就是中国形成统一的封建大国的时期。这是中国历史发展的一个带阶段性的时期。在司马迁以前，《春秋》、《左传》、《国语》曾将春秋时期的历史作过总结，但它们包括的时期很短，只有二百四十多年，写得也不够完整。司马迁的《史记》发扬了《春秋》、《国语》的传统，综合了他所见到的历史记载，对这个变动时期的历史作了总结。从此以后，每当历史发展到一定阶段，都有历史著作出现，为前代作总结。比如魏、晋、南北朝的历史，隋修过一次，唐初又修过一次；唐中叶时，杜佑著《通典》，把唐中叶以前的历史作了总结；北宋司马光著《资治通鉴》，又把五代以前的历史作了总结。可以说，这个传统在《春秋》、《左传》、《国语》里已经有了，司马迁的《史记》则进一步发扬了这个传统，并为它奠定了牢固的基础。

从历史观的变化来看。在西周末年以前，人们的历史观，主要是宗教的历史观，包括两个内容：一是对至上神，即最高的、主宰自然的神的看法；一是对祖先神的看法。这种对神的看法在殷商的甲骨文中充分反映出来。据郭沫若同志研究，殷商的祖先神与至上神是合而为一的。王室的祖先死了以后就成了最高的神，殷王都可以成为"示"，"示"就是神。甲骨文有"六示"、"十示"的字样，也就是六代、十代的祖先，在世为王，死后为神。地上的王权反映到天上就是神权，这就是祖先神和至上神统一的观念。

西周时期，对神的观念有了变化，至上神被叫做上帝，同祖先神分了家。上帝是周人的神，也是各诸侯国家的神。这就把殷人的神世界化了，凡周人的势力达到的地方，都信奉同一的神，把信仰统一起来了。同时，各国又各有自己的祖先神，周人最大的祖先神是文王。《诗经·大雅》说："文王在上，於昭于天。"这就是说文王老是在上帝的左右，影响、传达上帝的旨意，要子孙都跟着文王学，其他祖先神的位置都不能和文王相比。周人这种宗教观念是适应当时封侯建国的形势需要的。

尽管周人同殷人对神的观念有这样的不同，但都还是宗教的历史观。就是说，他们都认为历史的发展是由神支配的，是按照神的意志发展的。到了两周之际，社会起了变化，宗教的历史观也随之发生了变化。社会矛盾增加了，有许多现象是宗教的历史观所不能解释的。随着各地侯国的发展，王权开始动摇，人们对神也产生了怀疑。虽然还不敢说没有天，没有上帝，没有祖先神，但上帝、祖先神究竟管不管事，人们有了疑问。《诗经·大雅》是西周晚年的作品，里面表现的怀疑色彩相当浓厚，不大相信上帝、祖先神能管事。这实际上是王权动摇的反映，在历史思想的发展上是一件大事。随着春秋时期社会情况的变化，怀疑思想也有了发展，但还是不能说不要天了，只是采取了保留的形式，表现为"天道远，人道迩"的思想，本质上是要把天道束之高阁，转而注意人道的问题了。这也反映了人们对至上神的看法有了变化。当然，这种思想并不是完全不信神了，它是同许多迷信的东西夹杂在一起的。但在当时，这就是新思想，是进步的。

另外，春秋时期对祖先神的看法也有了变化。不过这个变化比较保守一点，就是《国语》所说的："凡有大功于民者，子孙必昌。"意思是说，当代贵族就是夏禹、后稷等人的子孙，他们将来一定要昌盛。这是贵族"轮流坐庄"的思想，已经同过去成汤或文王之子孙永远保持王权的思想不一样了。还有一种更为进步的思想认为，虽然是"有大功于民者"的子孙后代，当他做了坏事，不为人民所拥戴的时候，也一样要下台；祖先虽然没有地位，但其子孙立了大功，受到人民拥戴的，也可以昌盛。这个思想已经把祖先神推开了，认为主要要看本人的功业和威信。这比两周之际仅仅怀疑祖先神管不管事的思想又有了进步。

到了战国时代，产生了变法思想，最突出的是法家思想。从商鞅起，就不管什么上帝、先王那一套，而讲"三代不同礼而王、五伯不同法而霸"。后来韩非、李斯都主张变法。战国末年，秦要统一全国，就大力提倡变法思想，不承认至上神和祖先神，否定旧秩序。所以，法家思想当中最突出的就是变的思想。

上述情况说明，从两周之际到秦的统一，在历史思想上有两个大问题：一个是“天人之际”的问题；另一个是“古今之变”的问题。天人关系的实质是阶级关系，也就是社会关系在人们思想上的一种反映。当阶级关系发生变化时，人们对天与人的关系的看法也就随之变化。从统治阶级来看，天代表独断的、不可动摇的、永恒的统治阶级；从被统治阶级来看，天的统治是可以变的，是可以怀疑的，甚至也是可以用人来代替的。当商王或周天子的统治比较巩固的时候，人们对天的统治是没有怀疑的，天是高高在上具有无上尊严和威力的主宰；当人们对天的统治产生怀疑、动摇的时候，实际上反映了某个阶级或某个集团的统治在动摇，或者要灭亡。在“古今之变”的问题上也是一样，主张政权统治不变的总是快要下台的统治阶级，主张变的则是要求当权的阶级或集团。

秦统一以后，情况就和统一前不同了，它要建立自己的统治秩序，要把上帝复活起来。不过秦始皇的经验不多，这方面做得还不到家，他只是封禅名山大川，祭祀天神，表示他的土地、人民受之于天，可以传之万代，而他自己的统治就是万古不变的神的统治。这实际上还是祖先神的思想。他好大喜功，穷奢极欲，引起了阶级矛盾的尖锐化。不仅人民反对他，贵族也反对他，都要起来推翻他的统治。于是，随着形势的发展，又出现一种新的观念，这就是项羽所说的“彼可取而代也”，刘邦所说的“大丈夫当如此也”，陈涉所说的“王侯将相宁有种乎”。这些说法和秦始皇的“二世三世至于万世，传之无穷”是针锋相对的。

陈涉起义也还利用了一下宗教迷信思想，搞了一个“鱼腹获绫”，号召大家起来反抗秦的统治。司马迁写这个事件的始末过程很有意思，这对当时的宗教迷信思想是个讽刺，是反对天命思想的。当然，陈涉利用宗教号召人民起义，和秦始皇利用宗教统治人民有本质的区别。

陈涉起义和刘邦做皇帝是两个性质不同的历史事件，但时代很相近。秦末农民起义一发动，就有很多人起来，很快便把秦朝灭亡了。刘邦出身不过是一个小亭长，后来居然做了皇帝，这在当时中国的历史上还没有过，可以说是震动人心的大事，在人们的思想中印象很深。

汉初，老百姓的生活比以前好一些，阶级矛盾不那么尖锐。由于刘邦杀了一些大臣，同姓诸侯又图谋叛变，统治阶级内部的矛盾尖锐起来。汉文帝设法把大的封国分成小的封国，汉景帝又进一步削弱诸侯王的力量，并在七国之乱平定后，取消了王国的独立地位，封建专制主义的制度，才奠定下来。直到汉武帝时，专制主义的制度才巩固下来。

汉武帝为了巩固专制主义的制度，从各方面采取了一些措施，做了一番建树的工作。经济方面实行盐铁官卖，这是一种很重的封建剥削。因为人不吃盐不行，生产没有铁不行。盐铁官卖，就是由国家垄断盐铁的经营。盐价、铁价不断提高，简直是对人民的一种掠夺。同时，他还用均输平准的名义，把大量财富集中到中央，又让商人登记财产，向他们征收财产税，隐瞒不实报的没收财产，没收商人的土地等。这些措施实际上是用专制主义的办法，大量进行封建性的掠夺。政治方面的控制也很紧，任用了不少酷吏，囚禁对他不满的官吏。在《史记·酷吏列传》里面反映了不少由于实行严刑峻法而引起武装暴动的材料。文化方面，他也没有放过。《史记·儒林列传》讲公孙弘向汉武帝上书，说汉武帝给臣下的诏书、律令都是“明天人分际，通古今之义”。可见汉武帝很重视这两条。所谓“天人分际”、“古今之义”是什么东西呢？汉武帝所提倡的，并不是从秦以前就不断发展起来的进步思想。“明天人分际”实际上是提倡阴阳灾异的学说，也就是用“天意”来解释一切自然灾害和奇奇怪怪的事情，通过这种学说，给皇权罩上一层神秘的外衣，使它变成神圣不可侵犯的东西。“通古今之义”就是在儒家定于一尊的形式上，利用儒家经典，宣扬封建制度是永恒的，封建统治的秩序是不可变易的。他们为了尊崇儒家，有时甚至在判决案件的时候，也引证《春秋》作为断狱的标准。

由此可见，秦始皇统一以后，对于在新形势下如何看待“古今”、“天人”的关系问题，仅仅有个苗头，到汉武帝时才逐渐明确起来。这时候的“天人分际”、“古今之义”显然和秦统一以前不同了。汉武帝时期，在历史观上出现了两种思想：一种是适应王朝统治要求的正统思想，以董仲舒为代表。他说：“道之大原出于天，天不变，道亦不变。”这个意思就是天人合一，古今永恒。儒家一尊，也是董仲舒的建议。他说，现在有各种学派和议论，妨碍统一，所以要发扬《春秋》的大一统思想，取消各家学说，定儒家于一尊。这是典型的正统思想。和董仲舒的正统思想相反的，是以司马迁为代表的一派思想。司马迁继承了秦统一以前历史观的优良传统，并有所发展。他在《报任安书》中所说的“究天人之际，通古今之变，成一家之言”，正是和董仲舒的思想针锋相对的。董仲舒是他的老师，他跟董仲舒学过公羊学，不过他不属于公羊学派。他主张“究天人之际”，而不同意“道之大原出于天”；他要“通古今之变”，首先肯定有变，不是“天不变，道亦不变”；他要“成一家之言”，就是要自成一家，而不是儒家独尊。所以说司马迁的思想是进步的，道理就在这里。司马迁不反对统一，但反对暴虐专制；他不主张农民起义，但认为搞政治要得人心，应该对人民有好处，否则，你的统治就不能巩固。有人把司马迁抬得太高，说他歌颂陈胜等农民领袖，歌颂农民起义，实际上没有这种事情。但他的思想，在当时来说，的确反映了人民群众的一些愿望。

从历史编纂学的源流发展来看。《史记》是二十四史中第一部纪传体的书。说它是纪传体，还不能算是一个很完备的说法。二十四史中《史记》以外的书，有的没有表或志，但各书都有纪和传，所以统称为纪传体。《史记》不但有本纪、列传，还有世家、表、书。诸侯之国，或者某方面有成就的、影响大的人物都有“世家”，如《孔子世家》、《陈涉世家》等。说《史记》是纪传表志体的书，更合适些。

从历史编纂学的发展来看，《史记》应该说是综合体。它把过去记载历史的各种体裁都综合起来了。虽然其中任何一种历史体裁都不是独创，但经过综合提炼，使它们相互配合成为一种完整的形式，却又是新的东西。司马迁搞出这种体裁很不简单，不是单凭他的能力就能办到的，这同长期以来的历史渊源有关。

司马迁以前，没有一部具有完整规模的历史记载。据现在掌握的文字资料和考古材料来看，最早的记载是甲骨文。甲骨文以前有没有记载？不敢说没有。现在考古发掘出来的东西，也有些比较早的、类似文字的东西，但材料比较少，而且不能断定它就是最早的文字。

甲骨文算不算历史记载？从原来刻甲骨文的主观意图来看，不好说是历史记载。它的内容约有这样四部分：一部分是占卜的日子；一部分是为什么事占卜；又一部分是占卜的结果；还有一部分是关于占卜以后的实际效验的记录。如某一天要到某地去打猎，事先占卜是“吉”，结果打猎得到了鹿、鸡、兔等，这就是占卜以后的实际效验。这一部分不是每片甲骨文都有，许多甲骨文只有前三部分。就是有实际效验部分的，当时的主观意图也不是为了载入史册或流传后世。总之，甲骨文很简单，由时间、地点、人物、活动四个部分构成。反映在甲骨文中的时间观念是很贫乏的，一般只有干支记日，后来才慢慢有了月，很少记年。记时间的次序是日、月、年，有点像现在西欧人的记法。甲骨文是最简单的文字记录，它初步具备了历史记载的最简单的形式，同后来的历史体裁有关系，可以说是后来编年体记载的始祖。

甲骨文的字数不多，少者几个字、十几个字，多者也不过几十个字、百把字。郭沫若同志的《卜辞通纂》中，有一片甲骨文有六十三个字；现在还发现有一百多字的，不过六十个字以上的甲骨文不多，一般只有二三十字。但金文就不同了，一方面是时间比较长，从殷商末年到秦的统一都有，而主要是在西周；另一方面字数也比甲骨文有所增加。西周时期的金文，字数在一百字到五百字左右的已有相当数量。它记载的内容比甲骨文丰富了，对事情的发展过程有了记述，还有记言的。金文在时间观念上也比甲骨文有所发展，表述时间的形式有两种：一种是日、月、年，另一种是年、月、日，这是后来通用的办法。

与甲骨文、金文同时并行的还有《书经》。《商书》的著作年代问题较大，其中《盘庚》篇很古奥，不好懂，一般认为可能是殷代的东西，但也经过了后人的加工。这篇文章有一千多字，估计不会是盘庚时的著作，但保存有殷代的东西。《周书》比较可靠一些，它的内容和《商书》一样，主要都是帝王、贵族的语录，但也有新的东西。其中《金縢》、《顾命——康王之诰》两篇，从历史编纂学来说，就包含有新的因素。金縢是西周王家收藏重要文件的金属器具。《金縢》就是以它为线索，叙述武王生病的时候，周公祈祷上天和祖先保佑武王，不要让他死去，并愿以自己的生命代替武王。祈祷以后，他就把祝文藏于金縢中。后来成王即位，三叔叛乱，造谣说周公要取成王而代之。成王听到谣言后，对周公的信任有所动摇。当时周公到东方去了，周朝发生了大风灾。成王想知道为什么出现这种现象，于是打开金縢看看先王留下了什么东西，不意却发现了周公的祝文。于是成王大为感动，连忙把周公迎接回来，天气又变好了，被风吹倒的树又复活了。这个记载是纪事本末体，以金縢为线索，从周公藏书到成王发书，把好多年的事情写成一篇东西，这是《尚书》中的一种特殊体裁，也是一个新的发展。

《顾命——康王之诰》，现在的本子古文《尚书》是两篇。今文《尚书》有争论，有人说是两篇，有人说是一篇。不管两篇还是一篇，文章却是连续的。《顾命》是成王临死前对大臣的遗嘱。《康王之诰》是写大臣受遗命之后，迎康王即位时，康王讲的一番话。这两篇东西内容都是成康之际的记载，但有两种性质：一种是纪事本末体，写的是成王去世、康王继位的经过；另一种是记述成王留遗嘱和康王即位时的典礼，写得相当具体，文章很好，把繁琐的事情写得很有趣。这也是纪事本末体，是记述典礼最早的一篇东西。《尚书》里的这两篇文章是纪事本末体的始祖。不过，《尚书》有个大缺点，一般不记年、月、日，因为它是官方文书，不是为了写历史而保存下来的。

《诗经》里面也有新的东西。现在文学家讲《诗经》，一般认为《国风》最好，价值最高，雅、颂要不得，是庙堂文学。从历史家的角度来看，则恰恰相反，雅、颂最有历史价值。《国风》多是讲男女爱情的故事，历史价值不及雅、颂，而且记载也没有雅、颂具体。我们讲的雅、颂就是《大雅》、《周颂》。《大雅》里的《生民》、《公刘》都是好材料，值得注意。《生民》是讲后稷一生的主要事情。后稷的母亲没有结婚，在走路时踏上了巨人的脚印就怀了孕，后来生了后稷。产后，她以为不祥，把后稷扔到偏僻的地方，但牛羊都不肯践踏他；后来又把他扔到冰上，鸟儿又飞来用自己的羽翼保护他。于是，她看出孩子是个不平凡的人，才把他抱回养大。后稷很小就会种地、选种，有一套办法把庄稼种得很好。丰收以后，他又把粮食磨了，作为食物，并酿酒、烧肉，祭祀上帝，上帝很高兴。《公刘》是讲公刘建立国家的过程。这两篇是歌颂古代英雄的传说，是传记体。这种体裁在以前的甲骨文、金文、《尚书》中是没有的，它在历史编纂学上又是一个发展。雅、颂是史诗，它的价值不能小看，有很多有关周代社会的生产关系、劳动情况等重要记载，在别处找不到的，在《周颂》里却有一些。把《大雅》的诗歌按歌咏对象的时代排列一下，就成了一部西周兴衰史。

总之，殷商时期的历史记载已有编年、纪事本末、记述典礼、传记等多种体裁。记述典礼就是后来的“志”，亦即《史记》的“书”。同时，甲骨文、金文、《尚书》、《诗经》所记的都是王朝的事情。从西周末年开始，各国都有了历史记载，主要是编年史。春秋时期，历史记载最发达的国家第一是鲁国，第二是晋国，第三是楚国。孟子说：“晋之乘，楚之梼杌，鲁之春秋，一也。”孟子特别提出这三部书，就因为这些是当时有名的书，它们都是编年史。春秋时期的这些历史著作，现在已经看不到了。相传孔子所写的《春秋》，大约是在春秋末年写的，也有较晚写出的部分。春秋时期编年史的发展，可以从《韩非子》、《吕氏春秋》、《墨子》所引证当时的记载中看出来。当时的编年史有两种形式：一种形式是按年把一些大事记下来，但比较简单；另一种形式也是编年的，但把事情的过程记载得很细致。有人认为《春秋》是当时史书的唯一形式是不符合实际情况的。

春秋时期的历史记载最大的发展有两点：第一，历史记载不仅限于王朝的活动，对诸侯之邦的历史也加以记载。第二，各国的历史书不光记载自己国家的事情，还记两类事情：一类是记会盟的情况，包括参加会盟的各个国家的历史；另一类是记“告”，即记述别国来告知本国的事情。

战国时期，历史记载又有了进步。《左传》、《国语》都是战国初年重要的史书。特别是《左传》，从历史编纂学上看，这部书有了很大的发展：第一，《左传》不是一国的史书，它把当时主要国家的历史都记载在一起，带有综合性，这是一个很大的进步。第二，《左传》采用了许多不同的历史体裁。应该说，综合体不是从司马迁开始的，《左传》已经开始了，不过，一般讲《左传》是编年体，因为编年体是它的主要体裁。此外，也有纪事本末体，如把晋文公重耳出亡和周游列国十八年的历史记在一起，这就是纪事本末体。第三，记言和记事糅合得很好。总的讲是按年记事，但对事情发展过程中的一些议论，也有较详细的记载。

另外，还有一本书叫《世本》，记载王、侯、卿、大夫的世系。这本书是战国时期写成的，汉朝时又增加了一些内容。

到此为止，历史编纂学上已出现编年体、纪传体、纪事本末体等三种体裁。《四库全书》把历史书主要分成这三大类。编年体以年为主；纪事本末体以事为主；纪传体以人为主。

《史记》以前的历史记载有些什么共同的特点呢？甲骨文就不必说了，这条和那条不相干，各自独立。《诗经》、《书经》每篇也是各自独立的。《春秋》是按年编的，但在《春秋》中看不出历史发展的内在联系。《左传》通过研究可以看出事物之间的联系，事情的记载始末有些照应，但从全书看，记载也是比较杂乱的。所以，《史记》以前历史著作的形式，虽然具备了各种历史记载形式的萌芽或幼稚状态，但不完备，记载历史事件缺乏内在联系，甚至外部的、表面的联系也不多，而彼此孤立的、片断的记载比较多。

战国时期，还出现了一种新的情况，这就是历史知识和争鸣的各学派有了很密切的关系。当时，各派思想家运用历史知识作为思想资料，阐述自己的政治主张。如儒家祖述尧舜、宪章文武，运用西周的历史资料，把西周初期的制度理想化，提出复古的主张。道家的始祖老子就是历史家，是柱下史，他对社会历史也有自己独特的观点。墨家讲三表，以“本”、“原”、“用”为判断事情的三个标准。“本”作为其中的一个标准，就是讲办事要上考历史，要合乎诗书上记载的古圣先王的行为，否则就不大可靠。法家韩非子的著作，有好多篇就是把历史故事分门别类地排列起来，如《说难》就是用历史故事说明他的论点。先秦诸子的著作，无论哪一部书都是言行录，主要记载这个学派奠基人的主要言论、主要事迹，还记载了他的学生和学生的学生的议论。比如《论语》，主要是孔子的学生记孔子的言行，但其中也有孔子学生的学生记孔子学生的言行。《韩非子》有一篇《初见秦》，有人考据说这一篇不是韩非子所作。但这里面记载的也都是韩非子的言论。《庄子》外篇记载庄子的事情很多。

战国晚期史学的发展表现在杂家的著作《吕氏春秋》。《吕氏春秋》在史学上有两点值得注意：一是它的记载大部分像历史故事类编，就是像《韩非子》那样，用历史故事来阐明自己的论点。二是《吕氏春秋》主要反映道家的思想，也有儒家、墨家、阴阳家的思想。虽然它的思想很杂，但杂而成家，有自己的主张，对各家有自己的取舍标准，打破了门户之见，有历史家的风度。汉朝的《淮南子》也是杂家，它主要也是道家的思想，但各家学说及各种历史传说都兼收并蓄。这种做法对司马迁也是有影响的。

司马迁的父亲司马谈曾论六家要指，对儒、墨、道、法、阴阳、名各家都有评价，而且相当公道。一方面司马谈是历史家，有历史家的风度；另一方面从源流来讲，他来自杂家，但比杂家更进了一步。司马迁要“成一家之言”，在政治上是针对汉武帝的儒家独尊而发的，但也继承了战国以来的历史传统。《史记》不仅是历史事件的记述，也表明了司马迁的政治主张。

杂家把各方面的记载都融合起来，不限于某一家和某种形式的记载。司马迁在这一点上近似他们，但超过了他们。司马迁综合了长期历史发展过程中形成的各种历史体裁，写成《史记》，在书中又继承了战国以来的传统，通过历史事件发挥了自己的政治主张。从体裁上说，“本纪”是从编年体来的。“世家”是记各国诸侯的历史，是从各国史来的。《史记》有很多学术方面的传记，这是独到的，后来的《汉书》在这方面不及它。以前《诗经》的《生民》、《公刘》以及战国时期史家所纂言行录之类，都是传记。《史记》的“列传”继承了这种体裁。“表”就是根据战国时期的谱牒而来的。“书”是综合论述的形式，也有一些纪事本末的形式，记述典章制度。《顾命——康王之诰》记典礼。《周礼》也是一部记载西周典章制度的书。这些都是《史记》中“书”体的来源。

《史记》对长期的历史记载，从编纂学上、历史学上作了总结，把秦始皇到汉武帝的全国大一统局面反映到历史领域里面来了。虽然董仲舒也在学术思想上做了一番大综合的工作，但他是正统思想的代表，而司马迁的指导思想则是和他针锋相对的。司马迁的贡献是带总结性的，是突出的，是长期的历史研究成果的集中体现。

（二）“究天人之际”

《史记》在史学上的贡献，我们前面已说过，也就是“究天人之际，通古今之变，成一家之言”这十五个字。现在先说“究天人之际”。

“究天人之际”，主要是指他的世界观而言，其中也包括历史观。根据《史记》的内容，这个问题可以分几点谈：

1. 司马迁把对于自然现象的研究和阴阳五行的迷信说法加以区别

阴阳五行的说法，有一个发展变化过程。在阴阳五行之说刚刚兴起的时候，它是朴素的唯物主义自然观。但到后来，它变成了唯心主义的东西，变成了宗教迷信。无论什么事物，它都企图用这五样东西去说明，对任何天地自然现象都加以牵强附会，甚至用天象去解释社会现象，占卜吉凶。汉武帝时，董仲舒讲《春秋》，就专讲阴阳和禁忌。当时，董仲舒思想已成为儒学的正宗，是汉武帝为首的汉皇朝所大力支持的。司马迁提出“究天人之际”，实际上是同以董仲舒为代表的阴阳五行禁忌学说、正统儒学相对立的。董仲舒把天和人结合起来，标榜“天人感应”，司马迁却要把它们分开。在《太史公自序》中，司马迁引用了他父亲司马谈的论六家要指。司马谈概括了阴阳五行学说的要点，说“夫阴阳四时、八位、十二度、二十四节各有教令，顺之者昌，逆之者不死则亡”，但下面还有一句“未必然也”——不一定是这样。紧接着，他又说这“使人拘而多畏”，好像一举一动都有阴阳管着，什么事情都叫人害怕。这个批评，今天看来也还是正确的。再往下，他又说“夫春生，夏长，秋收，冬藏，此天道之大经也，弗顺则无以为天下纲纪，故曰‘四时之大顺，不可失也’”，认为阴阳家的可取之处就在于提出按照四季运行的规律从事生产活动。司马迁既肯定了阴阳五行学说中论述自然现象的部分，又批判了“使人拘而多畏”的阴阳禁忌学说。

司马迁在《太史公自序》里还批评了阴阳五行家的“星气之书”。所谓星就是占星，气就是望气。阴阳五行家认为天上的星象决定着人间的祸福，所以有所谓“占星术”。望气则是通过对气象的观察，以推断人的吉凶。例如，吕后就曾说，汉高祖外出，无论走到哪里，她都能找到，因为汉高祖头上有云气。司马迁不赞成这类胡说，他认为“星气之书，多杂禨祥，不经”。意思是，这些谈吉凶祸福的都是一些不经之谈，不足为法，不可相信。

从《太史公自序》中表现出来的思想，我们能看出司马迁对天人关系持有明确的态度：天是天，人是人；天属于自然现象，和人事没有什么必然联系；人们必须按照自然规律去办事，但不存在什么所谓预兆和吉凶祸福的问题。这种观点是同当时从皇帝以下广泛提倡阴阳五行的迷信风气针锋相对的。

《史记》八书中有《天官书》。“天官”原是个官名，掌管看天象，订历法。《天官书》原书失落不少，现在所见的有好多是后人补入的，但也还有司马迁原来写的东西。在《天官书》里面，司马迁记载了各种异常的天象变化，如什么时候出现过什么特别的星象，而当时的人们对这种天象变化又有什么附会的说法等。司马迁既然不赞成这些东西，为什么又要加以记载呢？这是因为当时规定了史官应该记载些什么，史官这个职务与天象历法都有联系。司马迁也学过星象学，但《天官书》中所记的各种说法不见得代表他自己的观点，我们读的时候应加以分析。

在《天官书》里，司马迁曾明确指出周幽王、周厉王以前的天象变化已不可考。他主要记述了春秋以来的天变。同时他又说，对于春秋以后的天变，各家说法不一。所以，他认为这些说法不可信，称之为“禨祥不法”。他还说：“是以孔子论六经，纪异而说不书。”这里所说的“六经”，主要指《春秋》。他是说，《春秋》对天象变异是记载的，但并不加解释。也就是说，《春秋》对这类问题采取了保留的态度。这说明，在对于天象变异的态度上，司马迁和阴阳五行家有区别：阴阳五行家是加以附会，他则保留；阴阳五行家认为日、月食与人事有关系，他则认为日、月食的出现有一定的时间。这是科学的见解。他认为天象有五宫，每宫都有它所属的星宿。五宫也就是五个部位，是固定不变的，但有大小广狭的不同。还有所谓“五星”，即金、木、水、火、土，它们“见伏有时”，到一定时候就能看见，而且经过的地方，运行轨道的长短，都有一定的度数。阴阳家则不然，他们只强调五星的出没隐现各主什么吉凶祸福。司马迁懂得历法，用当时所能掌握的科学知识，否定了阴阳家的牵强附会的说法。

2. 通过对人事的分析，说明天道不可信

在《伯夷列传》中，对天道的否定表现得特别强烈。在这篇传记中，司马迁举出了不少事例，有力地驳斥了所谓“天道无亲，常与善人”的说法。他说，有很多坏人，专干坏事，但过得很舒服，子孙后代也累世富贵；另一种人小心谨慎，不敢多说一句话，不敢错走一步路，但他们却多灾多难。所以他提出了质问：“余甚惑焉，傥所谓天道，是邪非邪？”

《项羽本纪》记项羽在失败之后曾说：“此天之亡我，非战之罪也。”司马迁对项羽是有感情的，认为他是一个英雄，但却不赞成他这话。他批评项羽“难矣”、“过矣”、“岂不谬哉”。所谓“难矣”用了三件事加以说明：一是“背约”。他同刘邦曾约定：谁先进入关中，谁就可以称王。后来，刘邦先进入关中，项羽却背弃了关中之约。二是“怀楚”。项羽乡土观念太重，老想回江东。当时，刘邦斗志昂扬，他却想回家乡，无意西征。三是杀义帝自立。义帝是反秦的旗帜，项羽却把义帝杀了，自立为王。司马迁根据这三件事，评论项羽要抱怨诸侯和自己不一心便“难矣”。至于“过矣”，主要是指项羽自高自大，自认为了不起，不吸取过去的经验教训，想靠武力征服全中国，结果弄得称王五年以后身败名裂。但他至死还不觉悟，不仅不责备自己，却反说什么“此天之亡我，非战之罪也”。事实上，并不是天亡项羽，而是他自己在政治上、军事上都犯了错误，思想也不对头，他的失败与天无关。因而司马迁批评他“岂不谬哉”。这是司马迁认为天道不可信的很典型的例子。

有时，司马迁也用“天”字，也讲“天命”、“受命”。但是，我们看古书不能光看字面，要看它的含义。古人常用现成的字表达新的意思。在《秦楚之际月表》中，他说汉高祖能称帝“岂非天哉，岂非天哉！非大圣孰能当此受命而帝者乎？”从字面上看来，这是在称颂天，认为汉的天下是天命。但具体分析起来，这和旧观点不同。他所说的“受命”、“天命”是指历史条件。司马迁首先交代了秦代禁令繁多，严重地束缚了人民的手脚，为农民大起义提供了历史条件。然后写了秦亡汉兴的发展过程：第一个阶段是陈涉发难；第二个阶段是项羽推翻秦朝，即“虐戾灭秦，自项氏”。但项羽不得人心，灭了秦也不能建立他的统治；刘邦正是在这种条件下，才得“拨乱诛暴，平定海内”，做了皇帝。司马迁把这个历史条件叙述了以后，才说：“岂非天哉，岂非天哉！”可见，“天哉”就是历史条件的配合。没有这样的历史条件，汉高祖是不能成功的。当然，汉高祖也有他的一套办法。

总之，对重大的历史事件，如项羽、刘邦的成败，司马迁不是宿命论者。他是从历史条件、从人事上讲“天命”、“受命”的，他认为一定的历史条件加上领袖人物的作用，才能成功。他通过对史实、对人事的分析，说明天道之不可信。

3. 用宗教的历史揭露宗教迷信的虚妄

司马迁在《史记》中，并不针对某种迷信说法进行批评，一般都是对迷信活动加以揭露，把事情摆清楚。这种做法很有力量。当时盛行一种阴阳学说，是战国的邹衍创始的。司马迁在《孟子荀卿列传》中说，邹衍“其语闳大不经”。邹衍讲宇宙开辟的来源，司马迁说，“窈冥不可考而原也”。对邹衍所讲海外，司马迁说这是“人之所不能睹”。就这么轻描淡写的几句话，便揭露了阴阳学说的实质。但他还肯定了邹衍的用意是好的，只是这种学说在以后发展起来就不好了。司马迁在《封禅书》里说，后来的方士没弄懂邹衍的学说，于是“怪迂阿谀苟合之徒自此兴，不可胜数也”。这十六个字很厉害，它说明阴阳五行学说当初就不可信，后继者又出来这么一帮子人。他对这种迷信的虚妄，作了很好的揭露。

司马迁还把五行学说结合历史来研究。邹衍讲宇宙起源是从黄帝开始的，《史记》有两个地方加以驳斥。一是《五帝本纪》中的“太史公曰”：“而百家言黄帝，其文不雅驯，荐绅先生难言之。”他认为五行之说荒唐得很，老先生都说不出口。另一处是在《三代世表》里，司马迁说，他读了一些关于世系的记载，从黄帝以来都有年数可考，并且都按照五德始终来排队（黄帝是土德，下面依次是金、木、水、火德）。可是，“稽其历谱谍终始五德之传，古文咸不同，乖异”。意思是说，仔细核对一下，古文记载都不一样，互相矛盾，不可信。接着他又赞扬孔子不讲黄帝以来的年月和五德始终，认为有道理：“岂虚哉！”这就从历史上说明五行学说出于捏造，不可信。

此外，还应当谈一下《封禅书》。封禅书主要记载帝王的宗教活动。这是司马迁讲“天人之际”很重要的篇章。主要有两个内容：一个是讲这些帝王有好多宗教建筑（神祠），并列举了好多神的名字，而这些神都是历代帝王造出来的。另一个是讲由于帝王怕死而追求长生不老，访仙求药。通过这两个内容，司马迁一方面揭露出宗教是统治者捏造出来的东西，不是客观存在的；另一方面指出，既然是他们捏造的，而他们又去追求长生不死之药，真是荒唐之至。《封禅书》还讲秦始皇晚年统一六国以后，到沿海各地巡行，到泰山刻石颂扬功德。对此，司马迁加了个注解：“明其得封也。”说秦始皇为了表明自己做皇帝是上帝所封的，因而要上高山，到离天近的地方，好去承受天命。“明其得封也”，这五个字很有挖苦意味。写到汉武帝时，司马迁用了很大篇幅写他找了许多人间“神仙”——方士。写起初他怎样崇拜他们，后来又怎样发现他们说谎欺骗，最后把他们一个一个杀掉。司马迁在《封禅书》里最后下了结论，说天子对这些方士的怪诞话越来越讨厌，但还是不断地找他们，希望能碰上一个真神仙，因而访仙谈道、修建神祠的事越来越多，“然其效可睹矣”。司马迁用这一句话点破了汉武帝这种痴心妄想是多么荒诞可笑，徒劳无功。

在长达几千字的《封禅书》里，司马迁用客观的笔调，描写了这些荒唐怪诞的活动，有时既不肯定其有，又不明言其无，很俏皮地用“若”什么、“若”什么的写法来表现。最后，他说自己参加过封禅的活动，也到神祠里去过，了解过方士祠官的意图，研究过这方面的问题，他把自古以来侍奉鬼神的活动集中起来，“具见其表里”。“具见其表里”这五个字很厉害，说明他是洞悉这些活动真相的。他还特地指出，他这样写是为了要让后世的君子，看出一个究竟来，“后有君子，得以览焉”。从这里，可以看出他的“究天人之际”是针对阴阳五行之说开展的一场斗争。

4. 司马迁论天的自然观的进步意义和局限性

司马迁从几个方面论天，讲得很清楚。它的进步意义可以归纳为两点：第一是有明确的唯物主义观点。他把自然现象和人事分开，不牵强附会，用科学知识剥掉阴阳五行家强加于人事的神秘外衣，并揭露使这些现象神秘化的各种说法的由来。这种思想，在当时是很可贵的。在司马迁以前的历史著作里，对待天的问题就不像他这么明朗。在这一点上，司马迁很有贡献。第二是在现实政治上，司马迁的天论也很有进步意义。

毛主席说，中国封建社会有四条束缚人民的极大的绳索：政权、族权、神权、夫权。政权和族权不分，皇帝是上帝的儿子，不是凡人；他又是神圣皇族的族长；对老百姓来说，他是民之父母。在封建制度下，在家庭里就培养人们的忠君思想。父亲就是“家君”，既是一家之长，也是一家之君。把范围扩大一些，统治者既是政权的代表，又称为“民之父母”。政权和族权就是这样紧密地结合起来的。夫权实质上是族权的一部分。女子在封建家族和封建社会里是没有地位的。虽然，也出过女皇帝，但那是极个别的。至于神权，更不用说，没有一个皇帝不掌握神权。他当皇帝是受神的委托，神要保护他，他本身也是神。这样一来，他既是最高统治者，又是全国老百姓的大家长，也是大宗教主，把封建社会束缚人民的四股绳索集中体现于一身，成为维持和巩固统治的命脉。

汉武帝的时候，正是封建专制主义政治制度完成的时候。随着政治形势的发展，宗教理论也需要统一起来，需要有一套东西用来进行精神的统治，这就是阴阳五行学说，它是宗教的另一种形式。恩格斯在《路德维希·费尔巴哈和德国古典哲学的终结》中说过，罗马帝国采用了人工造成的世界宗教来适应它作为世界帝国的需要。汉武帝时期的中国，比起夏、商、周、春秋、战国来，带有一定意义的世界性质，因而也需要有世界性的宗教。但这种需要并不是由皇帝下一道命令就能得到满足的。要建立这种宗教必须有一套理论。董仲舒的作用，就是适应了这一要求。他们用他们的公羊学说，制造出一种符合皇家利益的统一的宗教。司马迁“究天人之际”，把自然现象的天和阴阳五行的迷信说法分开，并把迷信学说的历史来源、迷信活动的历史过程加以揭露，是对汉武帝封建专制主义政权的一个打击，本质上是和正统的统治阶级思想对立的。

那么，司马迁的思想究竟属于哪个阶级呢？我认为，司马迁的思想还是封建地主阶级的思想，但和封建地主阶级的当权派有所不同。司马迁赞成汉武帝的统一事业，对秦始皇的统一也赞成。但是，对封建统治者无穷无尽的横征暴敛，从秦始皇到汉武帝，他都反对。封建制度这时还处在上升时期。司马迁并不反对封建制度，而反对横征暴敛，严刑峻法。他成了封建地主阶级中的反对派。他要求减轻剥削，要求较好的统治，而不是打倒封建制度和封建统治阶级。他认为横征暴敛、严刑峻法会使社会动荡不安。因此，他在某些方面，对人民群众的要求寄予同情。从这个角度看，他在政治思想上是进步的。

司马迁对天的论述也有其局限性。不必讳言，《史记》并没有摆脱神秘思想的影响。它相信气数，相信祖先的善恶对后代的遭遇起作用。气数这个东西似乎有科学根据，其实，也是一种附会。他在《天官书》中曾说：“夫天运，三十岁一小变，百年中变，五百载大变；三大变一纪，三纪而大备：此其大数也。”这里面有天文科学。可能是他从日月五星的运行中得出来的。但下面又说：“为国者必贵三五。上下各千岁，然后天人之际续备。”还是把它附会到人事上去了。这还是天人感应的说法。不过，这对司马迁的历史观影响不大，在研究具体历史问题上不起什么作用。按照他的说法，天运与人事发生关系，要在很长时间内才有所表现，少则一千五百年，多则四千五百年。这和阴阳五行之学所说的人们的一言一行都要上应天象不可同日而语。

5. 注重人事在历史上的作用

既然天是天，人是人，天象和人事没有必然联系，那么，在历史发展中起决定作用的因素是什么呢？司马迁首先注意人谋。比如，历史上的一些战争，作战的双方历史条件一样，具体情况也差不多，但胜败不一，甚至有时强者败，弱者胜。道理在哪里？司马迁认为取决于人谋。前面讲过，司马迁不同意项羽所说的“此天之亡我，非战之罪也”，他举了好多事实说明项羽的失败不是天意，而是人谋上出了问题。我们试把《项羽本纪》和《高祖本纪》对照着阅读，就可得到很大启发。项羽一开始就气势凌人，直到他临死还是轰轰烈烈，像个英雄好汉。刘邦就不是这样。在司马迁笔下，刘邦就显得有些赖皮。起兵前，他好酒色，不事生产；起兵后，老毛病还是常犯。尽管司马迁在情感上喜欢项羽，讨厌刘邦，但写的时候还是按照历史真实情况的。他笔下的项羽，有两件大事不如刘邦。一是项羽虽然战无不胜，但到处烧杀。他在写项羽作战时，不断用“屠”、“坑”字样。如写“攻襄城，襄城坚守不下。已拔，皆坑之”；写他坑杀秦降卒二十余万人；写他屠咸阳“烧秦宫室，火三月不灭”；写他“坑田荣降卒，系虏其老弱妇女；徇齐至北海，多所残灭。齐人相聚而叛之”。在《高祖本纪》里，这类事情就很少，并着重写刘邦到处安民，入关中，约法三章。这个“民”不一定是劳动人民，刘邦主要是收罗地方豪杰、统治阶级中的人物。但这么一来，老百姓也沾了光。一个到处安民，很得民心；一个到处烧杀，令人失望。这是刘邦、项羽两人在政治上的很大区别，也是他们之间决定胜负的关键问题。项羽不如刘邦的另一点，是项羽不相信人，不会用人，即使是对自己忠心耿耿的部下，也团结不住。而刘邦却善于用人，必要时甚至敢于把大权交给自己并不完全相信的人，先把这个人笼络住，然后再想办法收拾他。以上两点区别，在这两篇本纪中很突出。司马迁通过对楚、汉之争的叙述，说明战争的胜败不取决于兵力强弱，主要的是看双方领袖人物的政治眼光和所采取的措施如何。刘项之争是很典型的，刘邦弱，项羽强，但最后刘胜项败，主要在于人谋。

《史记》很多地方都讲人谋的问题。《廉颇蔺相如列传》讲秦王强索赵璧，赵王在两难之下派蔺相如奉璧使秦。形势很险恶，但蔺相如无所畏惧，拼死捍卫了国家的利益。回国以后，他又能顾全大局，对廉颇表示退让，以求团结。司马迁称赞蔺相如，说他"一奋其气，威信敌国，退而让颇，名重太山，其处智勇，可谓兼之矣！"这里的"智勇双全"，是从人事上予以褒扬。《春申君列传》写黄歇由于没有听从门客朱英的规劝，后来遭到李园的暗算。司马迁分析他之所以失败，是由于"当断不断，反受其乱"。《陈丞相世家》写陈平几度处境危急，差一点丢掉性命，但他能善始善终，这是由于有智有谋的缘故。这些都是人事的作用。可以看出，司马迁首先注意的是人谋，看你怎么努力，怎么策划。

其次，司马迁讲"时"、"势"。"时"是时代条件，"势"是形势，两者指的都是历史条件。一般说，"时"的含义比“势”更具体点。司马迁虽然注重人谋，但并不认为光有人谋就能百战百胜，还要有一定的历史条件，也就是要有“时”、有“势”。《伯夷列传》说得很清楚：“‘云从龙，风从虎，圣人作而万物睹。’伯夷、叔齐虽贤，得夫子而名益彰。颜渊虽笃学，附骥尾而行益显。”风云还需有龙虎相随，万物的作用得以发扬还要有圣人的兴起。《管晏列传》引管子叙述他和鲍叔的交情的话说：我曾经替鲍叔出主意，结果是情况更坏了，但鲍叔不以我为愚。为什么呢？“知时有利不利也。”在《老子韩非列传》中，司马迁引老子的话说：“且君子得其时则驾，不得其时则蓬累而行。”这里，司马迁颇有个人遭遇的感慨。

司马迁这种重视历史条件的思想也表现在《外戚世家》中。他在《外戚世家》中说：“人能弘道，无如命何。”这里我们看到司马迁虽然强调人的力量，认为人能把道恢弘光大，但对“命”却没办法，受到“命”的限制。这里的“命”就是指历史条件。历史条件配合得好，加上人的努力，就能有所成就；历史条件不好，人纵然作了种种努力，仍可能失败。

司马迁所说的人的作用，究竟是指哪些人？从《史记》看来，还是指杰出的个别人物。《史记》这部书基本上是历史人物的传记，而传记中主要是突出了上层人物。本纪十二，写的都是帝王贵族。世家三十，只有陈涉、吴广是平民。孔子不算贵族，但出身于没落贵族，他的家庭也属于上层集团。列传七十，讲平民的有《游侠列传》、《货殖列传》等篇，绝大部分是将相。这里可以看出，司马迁认为在历史上起作用最大的还是帝王将相。

从今天的要求来衡量，《史记》在写人民群众这一方面是非常不够的。但在当时，他能写人的历史就不简单了。在他以前的历史记载几乎都是人鬼不分的。《春秋》记的事情主要是朝聘、会盟、征伐，这些事都与宗教活动有关。孔子的高明处，就在于能把这些活动从人事角度来加以观察。《左传》里面甚至记载了好多鬼话。司马迁却能把人和天分开，专门写人的历史。虽然他把历史发展归结到少数人身上，认为创造历史的是大人物，但比起以前来，还是进步的。

司马迁怎样估计人民群众的历史作用？我认为，他在一定程度上是看到人民群众在历史上的作用的。他在《史记》里面写了一篇《陈涉世家》，把农民领袖和贵族王侯列在一起。对此，有的同志认为，司马迁歌颂了农民起义。我却认为司马迁还做不到这一点。我的看法是：他还没有，也不可能认识到人民群众在历史上起了决定作用，认识到人民群众是历史的创造者，认识到人民群众的生产斗争和阶级斗争是历史发展的动力。但他认为，人民群众的活动，关系着事业的成败利钝。上层人物如果能够和人民群众结合起来，就可以取得胜利；相反，如果忘记了人民群众，给人民群众造成了很大的危害，那就会失败。这就是说，司马迁承认人民群众有一定的作用，但在历史上起主导作用的并不是他们，而是个别的领袖人物。这就是司马迁的思想所能达到的高度。在当时，能有这样的认识，已经是非常高的思想水平了。

《史记》有好多地方同情群众，揭发官吏的罪恶与昏庸无能。有时是委婉地表达，有时则是尽情地揭露。《酷吏列传》便是尽情揭发武帝时政治黑暗的篇章。他对酷吏下了一个评语："以恶为治。"这四个字很厉害，又很富于讽刺意味。意思是说，这些酷吏拿作恶当统治的方法，企图凭杀人、监禁来使统治者安享太平，坐稳统治的宝座。《酷吏列传》列举了他们许多惨无人道的行为，其结果是"吏民益轻犯法，盗贼滋起"。这里用了"盗贼"两字。有人说这是仇视人民群众。其实，这里主要是说酷吏为非作歹，引起了严重后果。我们应当看它的具体内容，不应只从字面上推敲。接着，他又叙述某处发生了几千人的武装暴动，起事者攻城占地，夺取库房里的兵器；释放犯人，杀死官吏；还通知地方官，叫为他们准备饮食。而为了镇压暴动，政府颁布了“沉命法”，规定哪个地方发生暴动，地方官没有发觉，或者虽发觉而镇压不力的，杀头。这么一来，无论哪里发生了武装暴动，地方官都不敢上报了。结果是“盗贼浸多，上下相为匿，以文辞避法焉”。他揭露了官逼民反的实质，对老百姓起来反抗表示同情，对统治集团内部的矛盾进行了揭发和讽刺。

关于司马迁“究天人之际”的问题，就讲到这里。他对“天”、“人”两方面的研究都是有贡献的。

（三）“通古今之变”

在《太史公自序》中，司马迁追述自己写《史记》要“原始察终，见盛观衰”，这八个字很重要。下面从几个方面分开来讲。

1.《史记》在编纂方面对古今关系的处理

在《史记》十二本纪里，五帝只写了一篇。夏、商、周也是各一篇，比《五帝本纪》详细。秦写了《秦本纪》，又写了《秦始皇本纪》。汉代是一个皇帝一篇，而吕后也占了一篇。表，三代有一篇，记了世系，而无年代。十二诸侯是年表，六国也是年表。秦楚之际变化很大，是月表。汉兴以来，表就多了，共有六个。越到后来，搞得越细。不要小看这些表。在“通古今之变”的问题上，十表是最大限度地集中体现这一要求的。司马迁每写一个表，就是要写这个历史时期的特点，写它在“古今之变”的长河中变了些什么。把这十个表总起来看，却又是要写宗周晚年以来悠久的历史时期内所经历的巨大变化——由封侯建国走到郡县制度，由地方分权走到皇权专制。虽然战国的年表里面有一些错误，可是这部分最难作。要以极少的语言概括那么多年的事情，没有历史眼光是搞不出来的。我们看，《六国年表》没有多少条，《十二诸侯年表》也没有几条。可是，表越简单，写的人越得有本事。这些表包含着很多学问，是从许多繁杂的历史事件中，挑选重要的事情，可以当做一定时期的简史来阅读的。

八书本来也应该是集中表达“古今之变”的，但由于残缺较多，并且有相当多的部分真伪难辨，已不能显示原来的全部面貌。仅就现有的篇章而论，《平准书》集中表达了汉兴百年之间社会经济的变化，是全书中的一篇杰作。

世家自西周以后才有。从西周开始的世家有十二个。从战国开始的有四个。春秋时代还有个《孔子世家》，秦汉之际有《陈涉世家》，汉兴以后，又有十二世家。历代世家的安排也是各不相同的。

列传的第一篇是《伯夷列传》，它不仅是个人的传记，还带有列传总序的性质。《史记》的列传，从春秋时期起才正式开始。春秋时期有《管晏列传》等六篇。战国就多了，包括秦在内共有二十二篇。汉兴以后更多了，有四十二篇。春秋、战国、西汉几个时期的传记有时互相交错或综合，例如，屈原就和贾谊合传。但这种情况不多，大体上还是按时间顺序排列的。

从《史记》的编纂可以看出：第一，司马迁对待历史是略古详今的，越古越简，越近越详。第二，他对几千年历史记载的处理是有阶段性的，这从本纪和表里都可以看得很清楚。他把三代作成一个表，十二诸侯一个表，战国一个表，是按历史阶段来处理的。从《史记》的通体编纂上可以看出，司马迁的心目中有一个古今演变的大势，眉目分明。有人说《史记》杂乱无章，这种说法不正确。

2.《史记》对历史事件、人物评价上的历史发展的观点

在古代，认为历史是固定不变的观点是个传统观点。到了周代殷时，说“天命靡常”，天要变了。可是当它建立了统治以后，就要“亿万斯年”地永远统治下去。秦始皇更干脆，声

称要“二世三世至于万世，传之无穷”。汉代的诏书里，同样也有子孙万代的说法。历史是发展、变化的，但统治阶级却不大喜欢变化。他们最怕改朝换代，他们要求永恒不变。在这种情况下，司马迁却说历史是进化的，是变的。

司马迁很称赞战国时期的变法。吴起在楚国变法，“明法审令，捐不急之官，废公族疏远者，以抚养战斗之士”，把贵族的地位降低了，实现了富国强兵。司马迁称赞吴起的政绩说：“诸侯患楚之疆。”卫鞅在秦实行变法，司马迁在《商君列传》中说：“居五年，秦人富强。”“行之十年，秦民大说，道不拾遗，山无盗贼，家给人足。民勇于公战，怯于私斗，乡邑大治。”对吴起和商鞅这两个人，司马迁在感情上并不喜欢他们，说他们“刻暴少恩”，但对他们变法的成绩则是肯定的。

汉兴以来，几乎没有人不骂秦始皇，因为不这样就无法说汉朝好。清代的考据学家也骂明朝的学者没有学问。后一代照例是要骂前一代的。在《六国年表》的序里，司马迁分析了战国的形势之后，指出：“秦取天下多暴。”但接着又说：“然世异变，成功大。”他对秦的成绩还是肯定的，他表彰了秦统一六国的功劳，认为这是历史上的创举。他还批评了当时的一些学者，说他们光看秦占据帝位的日子短，耻笑它，不敢说它有功绩。他讽刺了那些学者，说他们是“耳食”，不用嘴巴而用耳朵吃东西，人云亦云，无知盲从，何等可怜！

还有对所谓“封建”的看法。这个封建是指古代的“封邦建国”，不是今天我们所说的封建主义。“封建”的问题是历代学者一直争论的问题。儒家学者一般是支持“封建”的。清朝学者顾炎武曾表示不赞成恢复古代的封侯建国制度，提出了“寓封建于郡县”。司马迁也是反“封建”的。他在《汉兴以来诸侯王年表》中首先指出，西周以后，周王的地位衰落下去了，“非德不纯，形势弱也”，像西周开始时那样建立同姓、异姓诸侯国以屏藩王室的条件，已经不存在了。诸侯强大起来了，王室必然要趋于没落。随后，他又论述了汉初封侯建国的意义与可能。他说：“天下初定，骨肉同姓少，故广强庶孽，以镇抚四海，用承卫天子也。”但是，在汉朝建国一百多年以后，因为“亲属益疏，诸侯或骄奢，忕邪臣计谋为淫乱，大者叛逆，小者不轨于法”，于是，武帝采取措施，将原有封国划小，分王、侯“百有余焉”。这样一来，封侯建国的制度逐渐衰落下去了。当时，诸侯的情况是：“大国不过十余城”，“小侯不过数十里”。这样的侯国尽管在地主阶级中有很高的地位，但不过是收租税而已。他认为，这是“强本干，弱枝叶之势”。朝廷是根本，是树干，强起来了，封国是枝叶，弱下去了。这样才能“尊卑明而万事各得其所”，有助于全国局势的稳定。这是对汉代文、景以来直到武帝时废除诸侯封国制度的肯定。

3.《史记》对当代政治危机与社会危机的揭露

《史记》对当代政治危机和社会危机的揭露，表现在许多文章里。《万石张叔列传》描写汉景帝、汉武帝时代的大官，说他们都是“恭谨无与比”，能不说话便不说话的人。他们的子孙后代也都做了大官。“万石君”的称号就是因为他家父子官高爵显。万石君姓石，长子名石建，为郎中令，管起草文件。有一次石建起草了一个文件，颁发下来后，发现里面有一个错字。他十分惶恐地说：马有四条腿，加上尾巴，马字下面应该是五画，但文件中的马字少了一画，皇帝要是问罪下来，就活不成了，他害怕得不得了。万石君的小儿子叫石庆，为太仆，是九卿之一，管御用车马，地位很高。有一次他跟着皇帝出门，皇帝问他：这车套了几匹马？他就拿着鞭子一一指着数，数完了才说：六匹马。本来一看就能知道，他还要挨个数了之后回报，其谨小慎微的程度也就可以想见。然而像这样的人却能得到皇帝的亲近尊礼，官至丞相。通过这些小故事，司马迁对当时官场的腐朽风气进行了尖锐的揭露和讽刺。试想：朝廷里当权用事的都是这样恭谨自保的人，政治上能有什么朝气？

在《汲郑列传》里，汲黯是个敢说老实话的正直官吏，治理地方也很有成绩。汉武帝非常怕他，又很讨厌他。别的大臣来了，武帝很随便，有时连帽子也不戴，但汲黯来了，就不好意思不戴。有一次，武帝在汲黯面前自吹自擂、兴高采烈地讲他自己如何欲施仁义。汲黯当面揭穿其虚伪，说："陛下内多欲而外施仁义，奈何欲效唐虞之治乎！"武帝听后很生气，当时就变色罢朝。正是因为汲黯"好直谏"，始终不得志。

通过《万石张叔列传》和《汲郑列传》，司马迁刻画了武帝时政治风气的腐败、恶劣。

司马迁很善于通过典型人物来揭发当时社会的黑暗。公孙弘是当时儒家的头号人物，汉武帝很喜欢他。他对武帝专门阿谀奉承。武帝喜欢什么，他说什么；当面是一套，背后又是一套。《酷吏列传》里的张汤也是个重要人物，是专搞严刑峻法的。在《平准书》里，他又写了一个专门给汉武帝弄钱的桑弘羊。总之，司马迁从政治、经济、学术、司法等各个方面，选择了典型人物进行刻画，对当时的社会和汉武帝统治时的政治危机作了大量的揭发。

司马迁还写了两类将军。一类以李广为代表。《李将军列传》写李广很能打仗，有勇有智，很得士卒拥护。可是汉武帝却不喜欢他。在列传的后面，司马迁评论了这么几句话："余睹李将军悛悛如鄙人，口不能道辞。及死之日，天下知与不知，皆为尽哀。彼其忠实心，诚信于士大夫也！谚曰：'桃李不言，下自成蹊。'此言虽小，可以喻大也。"和李将军对比，我们再看看《卫将军骠骑列传》。这篇列传写卫青、霍去病以皇亲国戚的关系做了大官，也立了战功。在写他们的战功时，司马迁极少对战争进行正面描述，只写了他们在皇帝诏书中所受到的表扬、奖赏、封官拜爵等。至于是否真有这样的功劳，司马迁则不加评论。对于霍去病所部士卒的优越条件，司马迁作了交代："骠骑所将，常选"，"敢力战深入之士皆属骠骑"。在这一列传的最后，司马迁借别人的话耐人思索地表达了自己的态度。"苏建语余曰：'吾尝责大将军至尊重，而天下之贤大夫毋称焉。'"卫青、霍去病当时如此得势，而贤大夫对他们却并不称赞。把这段评语和对李将军的评语比较一下，一褒一贬，很是明显。从这里可以看出，武帝时候任用的都是些什么人。在编排上，司马迁也有自己的意图。他把《李将军列传》放在前面，中间插入《匈奴列传》，后面才是《卫将军骠骑列传》，这并不是乱摆，其用意在《匈奴列传》的论赞里明确说了出来："人主因以决策，是以建功不深。尧虽贤，兴事业不成，得禹而九州宁。且欲兴圣统，唯在择任将相哉！唯在择任将相哉！”再三申述“择任将相”的重要，指出由于选择将相不当，匈奴的问题未能很好解决。

如上所述，司马迁从各方面揭露了当时的社会矛盾，这就是他自己所说的“见盛观衰”。当人们正在热衷于吹捧武帝统治的丰功伟绩，高唱国泰民安赞歌的时候，他却看出了汉朝统治的危机已在隐伏之中。这是很不容易的。

所谓“通古今之变”也就是通过研究历史，推断过去，观察未来。这在《史记》里表现得很突出。如果我们把《酷吏列传》记述的在严刑峻法之下激起的各地农民武装暴动和《陈涉世家》对于秦末情景的描述联系起来，就可以看出，司马迁对汉武帝统治的前途，已经提出了严重的警告。

4.《史记》对学术发展变化的记载

汉武帝的时候，五经博士搞得很热闹，尊儒的风气大盛。司马迁却能从历史变化的观点，看出当时学术上的巨大变化。他主要的看法有两点：一是认为儒学已经起了变化，当代的儒学已不复是孔子之学。他对孔子之学的看法，在《太史公自序》中讲得很清楚。他认为孔子修《春秋》是为了：“上明三王之道，下辨人事之纪，别嫌疑，明是非，定犹豫，善善恶恶，贤贤贱不肖，存亡国，继绝世，补敝起废，王道之大者也。”这就是说，他认为儒学原来是有原则的，有政治主张的，但是后来变了。

汉代儒学的第一个变化发生在叔孙通的时候。叔孙通是汉初有名的儒者。《刘敬叔孙通列传》记述他有很多学生，跟着他好久，却没有官做，大家都有怨言。汉高帝时，叔孙通制定了朝仪。这一套朝仪把刘邦当皇帝的威风充分地表现出来。刘邦很高兴地说：“吾乃今日知为皇帝之贵也。”于是任用他做大官，赏给他五百斤金子。他的这些学生也因此被封为郎官。太史公说叔孙通“卒为汉家儒宗”。可见，汉代开国时候的儒家大多是这样的人：为了做官、拿钱，毫无原则地逢迎皇帝，阿其所好。在这些人手里，儒学变了，丧失了原来的理想。

汉代儒学的第二个变化发生在以公孙弘为首的博士弟子之手。司马迁说：“自此以来，则公卿大夫士吏彬彬多文学之士矣。”《太史公自序》中说：“唯建元、元狩之间，文辞粲如也。”这就是说，到了汉武帝的时候，儒学变成了写文章，说空话。以上两次变化是儒学在历史发展过程中的质变。在孔子时期，儒家有政治理想；而汉代统治者把儒学变成了空洞的说教。这也是“通古今之变”，是“见盛观衰”的一个方面。

其次，法家的学说也有变化。汉朝政治是外儒而内法，表面上讲儒家学说，标榜仁义道德，骨子里却采用法家之术。司马迁认为：法家的学说也不是原来的东西了。在《老子韩非列传》中，讲申不害、韩非时，说明了这点。他把韩非、申不害和老子、庄子排在一起，把法家与道家排在一起，认为申、韩思想归本于黄老，主张通过法实现“无为而治”，反对严刑峻法，要求不分贵贱，一律按法律评定是非。至于汉代的法，则是《酷吏列传》所描述的严刑峻法，“以恶为治”，“以酷烈为声”。法官只有这样才能得到皇帝的欢心，因而子孙当大官，家财有巨万。所以，他认为汉代的法家也已变了味道，把原来的理想放弃了，本质已起了变化。

当然，儒法两家在当时的社会条件下发生变化是必然的。这些变化，一方面适应了专制主义的国家机器的建立、巩固和发展的需要；另一方面也是封建制度下阶级关系和社会关系的必然产物。我们不能要求司马迁在当时就能理解这些变化的历史必然性。但他仔细地观察、研究了这些变化，并通过对具体历史事件的描述，把它表达了出来。司马迁对“古今之变”的分析概括，在当时的历史条件下已达到了相当的高度。

5. 司马迁在“通古今之变”问题上的贡献和局限性

《史记》以前的历史书都是片断的记载，像《春秋》，王安石说它是“断烂朝报”，这并不是挖苦。《国语》、《左传》有了一些进步，但缺乏对整个历史形势发展变化的看法，并且也只写了二三百年的事。《史记》不但写了几千年的事，而且主旨明确，对历史的发展有自己的观点。司马迁在《报任安书》中说，写《史记》是为了“稽其成败兴坏之理”。“通古今之变”便包含着这种要求。他不把历史看成一堆杂乱无章的东西，认为其中有成败兴坏的道理，并打算去探求历史发展的规律。这不仅在当时很可贵，就是在后来，也是难得的。这是司马迁在“通古今之变”方面的第一个成绩。其次，他认为历史有变化，有阶段。这是历史进化的观点，也有进步意义。第三，《史记》能反映出当时人民群众的某些要求。当然，他并没有达到多么高的水平，但我们也不能超越历史条件，对他要求过高。

关于司马迁在“通古今之变”的问题上对史学的贡献，还有一两点值得提出来研究。

《游侠列传》里有这样几句话：“窃钩者诛，窃国者侯，侯之门仁义存。”这是否意味着司马迁已经认识到封建社会法律、道德的阶级本质？我以为这几句话在客观上揭露了法律和道德的本质，但他并没有认识到这一点。司马迁写这几句话，无疑有自己的想法。作为一个历史家，他的确看到了许多不合理的事情：穷人偷一点东西就要被杀头，有钱人偷得越多，权势却越大；有钱有势也就有道德，没钱没势就是不道德。司马迁把这些客观事实当做一种社会历史现象揭露出来，这也是难能可贵的。可是我们并不能就此说他已经认识到法律、道德的阶级性了。他作为一个历史家，至多不过认为这种现象是不公道的，看着不舒服就是了，还不能说他已经懂得阶级分析了。

另外一点是：司马迁是否已经懂得用社会经济、生产发展来说明历史的发展？在《货殖列传》里，司马迁曾讲到农、虞（在山林里开矿伐木的）、工、商，这四种人都是社会生活所不能缺少的："待农而食之，虞而出之，工而成之，商而通之。"他们各有所能，各尽所能，为满足各自的要求而努力生产，"若水之趋下，日夜无休时"。经过他们的努力，社会上的财富大量涌现出来了，"不召而自来，不求而民出之"。这种现象，"岂非道之所符，而自然之验邪？"对此，我们要加以分析。

《货殖列传》是我国史学思想史上珍贵的遗产。它完全不理睬有神论的一切论点，专从社会经济上论述人事。它认为老百姓都有生存的欲望，都有改善物质生活的愿望，这是与生俱来的。这种生活的本能推动人们去从事劳动生产，而用不着别人强迫他们去干。它指出，财富占有情况决定了人们的社会地位，也决定了人们的道德观念。这表明司马迁认识到物质生产对社会生活的作用，财富对社会政治关系和社会意识的作用。这是朴素的唯物主义观点。我们再把《货殖列传》和《平准书》结合起来看。作者指出：老百姓愿意用自己辛勤的劳动换得物质报酬，维持生活，但当时的统治者却不让老百姓活下去，这样的统治是不可能维持下去的。显然作者是同情劳动人民的。他批评了当时的政治，提醒统治者要适当满足人民群众的要求，让人民活下去。这种思想当然是进步的，应该加以肯定。试问，封建社会里能有几个历史家注意到这些问题呢？但是也不能估计得太高。我们不能说，司马迁已经能够用社会经济发展的观点来解释历史了，那是不符合实际情况的。就是在《货殖列传》中，司马迁还把个人追求财富的欲望提得过高了，把它说成好像是社会经济和社会各方面发展的动力，把思想意识的反作用说成是社会发展的最后动力，又回到了唯心主义的老路。

在“通古今之变”的问题上，司马迁虽然有不少值得肯定的观点，但也还有一些陈旧的杂质没有排除。总的说来，他认为历史是发展变化的，但在有些地方，他还摆脱不了循环论的影响。例如，他在《历书》里讲三正历法，说“盖三王之正若循环，穷则反本”，用夏、商、周三代的历法来说明循环的道理。在《高祖本纪》末尾，司马迁说：“三王之道若循环，终而复始。”这就像是董仲舒的口气了。另外，他还相信阴德，相信祖先的善恶对后代的遭遇会起作用，认为“积善之家，必有余庆；积恶之家，必有余殃”。在《项羽本纪》中，他说，项羽是重瞳子，舜也有重瞳，很奇怪，“羽岂其苗裔邪？何兴之暴也！”在《白起王翦列传》中，他又借别人之口说：“夫为将三世者必败。必败者何也？必其所杀伐多矣，其后受其不祥。”王翦的孙子王离被项羽俘虏了，因为王翦为将时杀人太多，而且“今王离已三世将矣”。可见，司马迁没有彻底摆脱神秘思想的影响，因而有些地方还是流露了这种神秘的观点。这是司马迁在“通古今之变”问题上的局限性。

（四）“成一家之言”

“成一家之言”在当时史学领域里是件新事。司马迁以前，历史学方面谈不到成“家”或成“派”。《春秋》之前，历史书都是官书。史官修书，有一定的规格要求。《春秋》之后，《国语》、《左传》主要是把历史材料排列起来，也很难说“成一家之言”。《春秋》是孔子根据鲁国的国史加以整理而成的。拿现在我们能见到的鲁国《春秋》的佚文和孔子修的《春秋》对比，可以发现内容有些不同，但大体上还是原来的东西。《国语》是由各国历史材料集合起来的，风格形式各不一样，原始材料的特点很突出，说明它还不是经过融会贯通组织起来的东西。《左传》也不是“一家之言”，当时，晋、楚、鲁三国的历史著作很出名，《左传》就是以这三史为基础搞起来的，形式上它以鲁国的《春秋》为主，但内容是有关晋国的记载最多，楚国次之。《左传》还不是一部整齐的编年史，它对各国历史的记载详略不同，而且往往一年里讲很多年的事情，不是严格按照年代顺序编排的。其他一些书就更不行了。《世本》现在只能看到一些零星片断，已非原貌。《竹书纪年》已佚，现在只能从古书的摘引中辑录一些片断。过去曾有很多人推崇《竹书纪年》。其实它所记载的不一定都真实可靠，讲晋、魏、西周的事可能可靠一些。但它也是官书，很难说是“一家之言”。汉人作的《楚汉春秋》，现在也看不到了。总之，《史记》以前的历史书，就我们现在所能见到的来说，都谈不上是“成一家之言”的。

《史记》作为一部历史书，在“成一家之言”方面是个创举。“言”者，议论也，即有意表达一个人的思想主张的意思。“成一家之言”既要继承先秦时期百家争鸣的风气、传统，又要在史学领域中有所创造，敢于拿出自己的主张。当时，汉武帝尊崇儒术、罢黜百家，司马迁却要来个“成一家之言”，显然是对正统儒学表示的一种抗议。

司马迁的“成一家之言”，表现在下列几点：

1.《史记》综合古今典籍及其他资料，创造出一部通史

司马迁在《太史公自序》里讲过两句话：“厥协六经异传，整齐百家杂语。”按照传统的解释，认为这是司马迁把《史记》比做“六经”的传。但从《史记》的实际内容来看，这句话的范围应该更广泛一些。前一句用“协”字，协者，合也，说明他认为经传是比较正确、可靠的，就是要把“六经”异传综合起来，把它们都吸收到《史记》里面去。后一句用“整齐”，则含有批判的意思，意味着百家杂语的正确性差一些。

司马迁在《史记》里，采用了哪些经传呢？

第一，《诗经》这部书首先被采用了。司马迁在《孔子世家》里，谈到孔子删定《诗经》时，曾“上采契后稷，中述殷

周之盛，至幽厉之缺”。孔子对《诗经》的工作，也正是司马迁在写《史记》时所要做的。《殷本纪》、《周本纪》里面很多材料来自《诗经》。《诗经》有鲁诗、齐诗、韩诗、毛诗好几派，他采用的是鲁诗。《儒林列传》里也提到了韩诗，但没有采用。

第二，采用了《尚书》，用伏生传的今文《尚书》，也用了孔安国的古文《尚书》。

第三是《春秋》、《左传》、《国语》。主要采用《左传》，《国语》次之，《公羊传》用得较少。

第四，采用了《中庸》、《夏小正》、《王言》、《五帝德》、《帝系姓》。这些篇章大多见《大戴礼》。

第五是《论语》。

第六是《秦纪》。

第七是《世本》。

第八是《战国策》。《战国策》这部书当时并无其名，是刘向时才有的。

第九是《楚汉春秋》。

司马迁用的经传主要是这几种。其中《诗经》、《尚书》是他写春秋时期以前历史的根据。春秋时期则用《春秋》、《左传》、《国语》、《公羊传》，同时用《礼记》作补充。记孔子的事迹采用鲁语。记战国的事用《秦纪》、《战国策》。从秦末到汉惠帝、文帝用《楚汉春秋》。他采用这些书时经过了分析综合，并把古文翻成了当时的语言。

在“整齐百家杂语”方面，司马迁又做了哪些工作呢？

“整齐”这两个字，有综合排比的意思，也有批判、订正的意思。在《五帝本纪》的后面，司马迁说：“百家言黄帝，其文不雅驯，荐绅先生难言之。”意思是说百家讲黄帝的事迹荒诞不经，是不大可靠的。在《苏秦列传》后面又说：“然世言苏秦多异，异时事有类之者皆附之苏秦。”苏秦是一个游说之士，很出名，因之，别人就常常把其他游说之士的事迹移植到他的名下。这也是对苏秦传说的批评，是很有见解的。在《刺客列传》里太史公说：“世言荆轲，其称太子丹之命，‘天雨粟，马生角’也，太过。”说一般人把这件事渲染得太过分了。下面说：“又言荆轲伤秦王，皆非也。”接着就讲自己的看法，说明司马迁对百家杂语是有批判取舍的。

司马迁还利用了大量的档案材料——“䌷史记石室金匮之书”，主要是利用汉代的材料。司马迁在自序里面说：“于是汉兴，萧何次律令，韩信申军法，张苍为章程，叔孙通定礼仪。”所谓“章程”，当时是指数学、历法和有关工艺用材、成品的规格等一类的东西，张苍有这方面的著述。上面所说的律令、军法、章程、礼仪等各种规章制度，就是所谓“石室金匮之书”的主要内容。此外还有关于“明圣威德”、“功臣世家贤大夫之业”的记载。这些就是《史记》中关于汉代纪传和八书（如《平准书》、《封禅书》）的一部分材料的主要来源。赵翼《廿二史札记》卷一《史记变体》条，曾说《史记》卷五十四《曹相国世家》记曹参的战功很像功劳簿；其后卷九十五、卷九十八所记当代一些功臣的战功，都是用一样的记法：详细叙述他们在哪一次战争里斩杀敌人若干，生擒若干，招降若干，并分别叙述某一个大将和他的部下各杀、擒、招降了多少敌人，最后又总起来叙述一下得了多少城，擒、斩了敌人多少大将、裨将和两千石以下的官吏，叙述得非常清楚、完整。赵翼说这都是根据汉初分封时所用的记功簿加以整理而写成的。这个看法可能符合实际情况，否则，司马迁不可能知道得那么详细。他一定利用了当时的档案，做这样的工作是很不容易的。古代文字都写在竹简或木简上，后来，也有一些用布帛记载。一条竹简或木简写不了多少字，而司马迁的《史记》就有五十多万字。这几十万字是从多么浩繁的原始材料中产生的，司马迁仅仅在翻阅、整理这些原始材料上就投入了多么繁重的劳动，是可以想见的。

司马迁在写作《史记》过程中，还访问了各地名胜和历史遗迹。他生在陕西龙门，二十岁左右就外出游历，南到长江、淮河、浙江会稽和湖南，东到现在的山东（当年的齐、鲁）和徐州，西到河南、湖北，西南还到过四川南部，走过的地方相当多。他每到一处就访问当地的历史古迹和遗老。在《货殖列传》里面关于各地风俗、物产，《游侠列传》里面关于山东、洛阳等地的游侠，都有生动的叙述或记载。这些材料看来是他在长期游历中的亲身见闻，像是来自民间的东西。《史记》中有好几个地方都讲到他的经历，如在《齐太公世家》里，他说自己曾到过山东，“自泰山属之琅邪，北被于海，膏壤二千里，其民阔达多匿知……”在《魏世家》里，他说自己曾到过大梁的故墟，那里的父老向他讲，秦破大梁的时候，曾决河引水灌大梁，三个月以后，城墙都淹坏了，魏王才出降。在《孔子世家》里，他也讲到自己到过山东，看到孔子的庙堂和孔子当年用的车子、服装、礼器等。

综上所述，《史记》的史料来源于四个部分，即：经传，“百家杂语”，档案材料和他自己的亲身见闻。把这些材料综合起来，从传说时期的黄帝起，一直到汉武帝，写成一部一百三十卷的通史，这在当时，是空前的创举。司马迁创造了一个好的历史传统：每当中国历史发展到一个转折点，当一个阶段或一个朝代结束后，或是社会经济、政治发生重大变化的时期，便有人出来把过去已经告一段落的历史写出来。比如：二十四史里大部分著作是写各朝代历史的；杜佑的《通典》是记载历代经济、政治各种典章制度的，上起传说中的唐虞时代，下迄唐玄宗天宝末年以至德宗贞元十三年；司马光的《资治通鉴》，上起战国，下终五代。从政治上来看，五代是中国历史上的一个转折时期，所以他把北宋统一以前的历史作了一个总结。郑樵的《通志》是在宋南渡时，有感于社会变化而写的，是会通历代史书的一部通史。司马迁写《史记》，正是从秦始皇开始的封建专制主义政治制度完成的时候，这恰好是一个历史阶段。他为中国的历史作出了卓越的贡献，在史学上留下了优良的传统。

2. 综合古今学术，辨别源流得失

《史记》不仅是一部政治史（当然主要是政治史），学术史的分量也相当重。这也是二十四史中其他著作所不及的。二十四史中前四史好一些，后来的便差了。

在《太史公自序》里面讲了六家要指，这是司马迁的学术总论。司马迁以前也有人讲学术，比如：荀子有《非十二子》，评论十二个思想家；庄子《天下篇》也曾评论当代的学术。可是，无论荀子、庄子，都是讲某人如何，而不是议论学

派的。韩非子的《显学篇》里面说“孔墨之后，儒分为八，墨离为三”，有些分析学派源流的意思，但还没有明确提出学派的概念。《太史公自序》里引司马谈“论六家之要指”，则把学术综合为六家，也就是把学术的发展分成几种流派来评短论长，这是很不简单的。学术流派本是客观存在，但司马迁提出学派的观念，却是过去没有的，在学术史上还是一个创举。

所谓“六家要指”就是关于各个学术派别的总论。在六家中，《史记》对儒家的记载尤为详细。司马迁按照时代的先后，先写《孔子世家》，再写《仲尼弟子列传》，然后写《孟子荀卿列传》，最后是《儒林列传》，安排得相当严整。在《儒林列传》的前面，司马迁把儒学的发展作了一个概括的说明。在儒家“六经”里面，他对《春秋》说得最多，《太史公自序》有好几大段都是讲《春秋》的。《十二诸侯年表》序里，讲到《春秋》之学的发展：一派是从《左氏春秋》到《吕氏春秋》，这是一个系统；孟子、荀卿、韩非这些人用《春秋》里面的事实写书，这又是一派；还有一派是汉代的张苍、董仲舒等人，从《春秋》里面引申出五行之说。司马迁对这几派都进行了评论，他在《十二诸侯年表》里指出：“儒者断其义，驰说者骋其辞，不务综其终始；历人取其年月，数家隆于神运，谱牒独记世谥，其辞略，欲一观诸要难。”于是谱《十二诸侯年表》，把“《春秋》、《国语》学者所讥盛衰大指著于篇”。中国的历史书始于《春秋》，而在《十二诸侯年表》里，把各家对《春秋》的研究作了概括，有了评论，从而成为我国最早的史学简史。这是司马迁对儒学“六经”，特别是对《春秋》的看法。

对于道家，司马迁是很推崇的。《太史公自序》、《酷吏列传》、《货殖列传》里都说得很清楚。司马迁和他父亲所说的道家和我们今天理解的道家不一样，他在自序里说：“道家使人精神专一，动合无形，赡足万物。其为术也，因阴阳之大顺，采儒墨之善，撮名法之要，与时迁移，应物变化，立俗施事，无所不宜，指约而易操，事少而功多。”从这几句话里，我们可以看出，他所说的道家事实上是和杂家结合在一起的。按照杂家发展的情况来看，也是这样。比如：杂家著作的巨擘《吕氏春秋》兼采诸子之说，而以道家思想为主；在杂家著作《淮南子》里面，占主导地位的也是道家思想。司马迁的“成一家之言”，事实上也是杂家，其主导思想则是道家的思想。司马迁的政治理想是道家的，而在实际做法上，则倾向于法家和儒家的主张。

《史记》所记述的学术活动，以儒、道两家为主，同时还记载了各家的言论。如《老子韩非列传》记载的有道家，有法家；《孟子荀卿列传》记载的除儒家外，还有名家、墨家、法家、阴阳家、道家；《商君列传》、《李斯列传》记载的都是法家；《封禅书》所记载的则属于阴阳家的活动。

除六家之外，《史记》里面还有兵家、数术家、方技家。如第六十四卷的司马穰苴，六十五卷的孙子、吴起，六十六卷的伍子胥，七十三卷的白起、王翦，八十卷的乐毅，以及九十二卷所记的淮阴侯韩信，这些人都是兵家。一百二十七卷、一百二十八卷记的是卜算，它和历书、天官书，都是数术。一百零五卷的医生扁鹊、仓公，则是方技。另外，《史记》也记了一些文学家，如屈原、贾谊、司马相如。在这些列传里面，还把他们的某些作品整段地记录下来。

《史记》开创了学术史的先河。《史记》以前，没有通史，也没有学术史。但《史记》的学术史和后来的学术史也有所不同。原因在于从先秦到汉初，学术有所发展，原来“学在官府”的情况有了改变，但发展还很不充分。当时的学术家和事业家往往不能分开。无论学术家、政治思想家还是兵家，他们大都既是理论家，又是实际活动家。文学家、思想家兼实际活动家的更多。越到后来，学术家和事业家的分化越趋明显。某些人虽也擅长学术，但政治活动更多一些；某些人虽也兼搞政治，但学术活动更多一些。正因为在先秦、汉初时期学术家和事业家两种身份兼而有之者居多，所以，《史记》里面专门记载学术家的传记，像《孔子世家》、《老子韩非列传》并不多，而具有两种身份的人却不少。《太史公自序》里的“论六家要指”，有意识地记载和评论学术活动，成为当时学术史的论纲，它说明司马迁自觉地注意了学术的发展。但是，在司马迁以后相当长的时期内却没有得到很好的继承，只在一些历史著作中得到了部分的继承。后来的史书对司马迁开创的学术史的继承主要有三种形式：第一种是书志，如《艺文志》、《天文志》、《律历志》。《天文志》是天文学的历史，不是天象的历史。第二种是专传，即专门人物的传记，汉魏六朝都有。第三种是杂传。

3. 综合已有的史体，创立新的史书体裁

关于《史记》的体裁，在《太史公自序》的最后一段有总的说明。司马迁讲了一下基本情况，说明了各种体裁所记载的内容概要。

第一部分是“本纪”。《史记》共有十二本纪。他说本纪是关于“王迹所兴”的记载。这四个字很扼要。对于《项羽本纪》，过去有争论，有很多人批评司马迁，说项羽既非王又非帝，为什么给他写本纪？其实，“王迹所兴”四个字，就可以

回答这个问题。项羽曾号令了大半个天下，为什么不能写他的本纪？

第二部分是十“表”。自序里曾说：“并时异世，年差不明，作十表。”这是作表的原因。前者如《六国年表》，每一个国家各有自己的纪年，相互对照，成为一个表。后者如《汉兴以来诸侯王年表》，把每个诸侯王的封国、发展变化、最终结果及其年代，分别列表说明。这样排一下队，问题便清楚了。

第三部分是八“书”。自序里说：“礼乐损益，律历改易，兵权山川鬼神，天人之际，承敝通变，作八书。”说明八书以反映各种社会制度的变化为主。

以上三部分是全书的总纲。本纪以人为主，年表以时间为主，八书以制度为主。

关于“世家”和“列传”，司马迁说三十世家记的是“辅拂股肱之臣”，七十列传写的是“扶义俶傥，不令己失时，立功名于天下”的人。

《史记》里面的本纪、表、书、世家、列传这五种体裁，分开来讲，过去都有。这在上文已说到了。但是，把不同的体裁有意识地相互糅合成为一个完整的体系，却是《史记》在形式上的创造。通史、学术史是《史记》在内容上的创造。把几千年内容极为广泛的历史事件分别用不同的体裁来表现，这是《史记》在综合运用方面的创造。拿五种体裁的相互关系来讲，本纪、表、书是总纲，世家比较详细，列传更详细。世家是为纪作注解的；列传有时为纪作注解，有时为世家作注解。纪和传的关系，可以比做“经”和“传”的关系。世家则介于两者之间。世家的内容有时起本纪的“传”的作用，有时起列传的“经”的作用。

后世对《史记》的体裁议论纷纷，批评它的人不少，认为《史记》的体裁很乱。这是由于不大懂得《史记》的特点。章学诚曾说，《史记》和《汉书》不一样，《史记》是“圆而神”，《汉书》是“方以智”。这是说《史记》对历史的表达不受形式的限制，很灵活；而《汉书》则是规规矩矩地讲史事，提供知识。也就是说，司马迁注重思想，班固则注重知识。这个评语很允当。“圆而神”的好处便在于不使内容为形式服务，不因拘于形式而削足适履，而是要求形式服从内容。这并不是说《汉书》就不好了，我们说《汉书》有它的好处，但在不受形式局限这一点上，《史记》却是高一等的。

我们了解了“圆而神”的含义，便能理解《史记》在运用体裁方面的特点了。如果按照“方以智”的标准去要求《史记》，《史记》里面成问题的地方就多了。以“本纪”十二为例，不仅项羽不应该写成本纪，其他十一篇也有问题。就拿写法来说，《五帝本纪》和后面的十一篇都不一样，写的只是传说。五帝究竟在位多少年？代表多长时期的历史？他的子孙世系如何？都没有写。《夏本纪》、《殷本纪》又是一种写法，没有年代，却有世系，某王之后是某王，有材料的就多写，没有材料的就少写。《周本纪》和《夏本纪》、《殷本纪》又不一样，不是每一个王都有年代，从周厉王开始才有年代可考。四个本纪就有三种写法，不强求一致。如果按某些人的意见来要求，这四个本纪都不能叫做本纪，因为本纪要有年、月、日，而这几个本纪却没有或不能完全合乎这一要求。《秦本纪》就更奇怪了，既然周尚未亡，为什么又搞《秦本纪》？但如果不搞，战国时期的大局就提挈不起来。为了说明秦国在战国时期的地位，提出本时期的重大问题，司马迁单独写了《秦本纪》。既然要写《秦本纪》，秦在战国以前的发展过程当然也要包括进去。所以《秦本纪》的前一部分不代表历史时期，后一部分则代表一个历史时期。《秦始皇本纪》则又以新的面目出现了，这是皇帝的本纪，说明历史又进入了一个新的时期。《吕太后本纪》主要是记宫廷和功臣内部的斗争，没有记什么国家大事，所以只好那样写。按照后来的说法，本纪应当是编年体，应当像《春秋》一样写法，《史记》则不然。也有人认为本纪只能写大事，不能写个人生活，司马迁的本纪里却记了帝王的个人生活，把国家大事和个人生活互相联系起来写，效果更好。司马迁根据具体情况，采用适当的写法，不拘一格，注重精神，这种办法值得学习。不像《汉书》以后搞得那么死板。

“表”是一门大学问。如《十二诸侯年表》要从千头万绪、错综复杂的历史事实中，理清其盛衰大旨，是不简单的。写历史不怕写多，写少却不容易，“表”就是要用少量的文字来反映复杂的历史过程，这就需要学识。司马迁的十个表把三代以来直到汉武帝时错综复杂的政治现象，极其概括地反映出来，这非有极高的见识不可。十表的序是《史记》的精华，用简短的文句概括了所要说明的时代的历史，并对整个形势进行了精彩的评论。《秦楚之际月表》、《十二诸侯年表》、《六国年表》的序都好得很。可以这样说，《史记》的“表”把主要线索、历史轮廓搞得清清楚楚。它的序则更是画龙点睛。

“书”，基本上不全，《封禅书》是全的。《平准书》不全，但是从传下来的部分看，写得很好。《封禅书》实际上是写汉代政治的，它揭穿了封建政治披着的宗教外衣及其对人民的欺骗作用。《平准书》主要反映了两个问题：一是写封建经济的法外掠夺；一是写封建统治者对人民无穷无尽的奴役。前者是不顾法律，掠夺人民的土地、财产；后者任意攫取人民的劳动力，为封建统治集团服务。司马迁抓住了封建社会的经济问题，写得很深刻。八书里面现在可以看到比较完整的主要是这两种。后来的《汉书·食货志》，就大不如《史记》的《平准书》了。

“世家”部分，《吴太伯世家》以下的十六世家是一类，写的是贵族诸侯。《孔子世家》、《陈涉世家》、《外戚世家》各是一类，很难归在一起。再往后，《楚元王世家》以下三世家和《梁孝王世家》以下三世家是一类，写的是汉代宗室贵族。《萧相国世家》下面五个世家又是一类，写的是汉代大臣、开国元勋。这些写得都好。《史记》这部书并不是每篇都好，它也受到时代的限制。世家里面写春秋时期的那部分写得不好，零碎。战国时期的世家则写得好，如《赵世家》写得生动。《陈涉世家》写陈涉的成功与失败，都写得好，指出了陈涉之所以成功和失败是由于民心向背的问题。对陈涉起兵的时代背景写得很深刻。陈涉以后的失败也写得很好，说陈涉登上王位，胜利冲昏了头脑，看不起老伙伴。老乡来找，他不见面。老乡对别人揭了他的底，他竟把老乡杀了。通过这些事情揭示陈涉失败的原因，写得很生动。《外戚世家》看来没下多大工夫。写汉代几个开国大臣是下了工夫的。我们要了解汉初的政治情况，光看《高祖本纪》、《吕太后本纪》还不够，一定要看看这几个开国元勋的世家才行。《萧相国世家》讲萧何怎么明哲保身，批评萧何是刀笔吏，缺乏宰相风度，反映了汉初政治空气的不和谐。当然，其中也有说他好的地方。

“列传”七十篇。首篇《伯夷列传》并不是专为伯夷而写的，它是列传的帽子，带有总序性质。以下六十九篇大部分按照时代顺序排列，但也不完全如此。从第二篇《管晏列传》以下六篇是讲春秋时候的人，也有战国时候的，如韩非子、申不害。《商君列传》以下二十一篇是写战国时候的人。秦统一以后的，因为时间很短，和战国分不开。这二十一篇里面也有写汉代人的，如贾生。《张耳陈馀列传》以下四十二篇，除循吏、货殖等杂传以外，基本上写的是汉代人物，大体上按照时代的顺序排列。过去有人认为《史记》的列传乱，其实未必。比如《李将军列传》后面是《匈奴列传》，再往后则是《卫将军骠骑列传》。有人不理解，为什么把《匈奴列传》插在两个人物传记中间？因为这两个人物和匈奴有关系，这是司马迁有意识地按人物和事件的关系来编排的。列传里的《儒林列传》、《酷吏列传》、《大宛列传》三篇连排，是因为三篇文章从三个方面反映了汉武帝时期的政治状况和社会面貌。《儒林列传》写汉武帝时候的学术思想；《酷吏列传》写当时的政治、司法状况；《大宛列传》写汉武帝经营西域花了多少钱，死了多少人。下面便是《游侠列传》，反映了游侠一类的人物不满现状，起来反抗，这是当时社会政治状况的必然产物。但这些人的反抗并没有得到好结果，多被逮捕，有的竟遭族诛。最后一篇是《货殖列传》。司马迁注重政治，对“货殖”好像是赞成，又好像不赞成。所谓“最下者与之争”，也就是批评统治者与老百姓争利。《货殖列传》就是讲上下争利的事。在争的过程中，有一部分人上升了，另一部分人则遭到牺牲。司马迁说，“能者辐凑，不肖者瓦解”。他指出，比普通人财产多十倍、百倍的便可以高人一等，令人生畏；拥有千倍、万倍于普通人的家赀，就可以奴役人民，为非作歹。这是必然的现象，“物之理也”。总之，列传的后几篇也是《史记》的精华所在。

从历史著作的体裁来看，司马迁把过去所有的体裁综合在一起作了一个全面的安排，既提纲挈领，有本纪，有表，有书；又包罗了很丰富的材料，有世家，有列传。从历史内容来看，安排得比较好，对于读者来说，也可以做到各取所需：你要详细的可以，要提纲挈领的也可以，要发挥议论的也可以，要选择你认为重要的材料加以吸收也可以。所以，《史记》的体裁成为中国长时期内历史著作选定体裁的主要根据，是有道理的。它和编年体比较有许多长处。《资治通鉴》是编年体的杰作，内容丰富，但必须从头看到尾，不像纪传体方便、灵活；没有年月日可考的事情，纪传体也可以容纳，编年体却办不到，只好采取不得已的办法加以安排。比如，写当代一个重要政治人物，有些活动可以分年写，有些就没办法分年，只好在“某年某人死”的后面，再附一篇传记。有些制度不知哪一年创立的，就说某年授某人某官，附带地说明一下官制。编年体后来不能成为主要的体裁是有道理的。刘知几说编年、纪传两者互有短长，角力争先，不可偏废，这个说法有一点偏。

司马迁综合过去史体创立的纪传体裁，是他在历史体裁上“成一家之言”的地方。就这一方面来说，是前无古人，而又为后世长期继承的。这种体裁一直到后来清朝修明史，辛亥革命以后有人写《清史稿》，都还在沿用。

4.《史记》“继春秋，述往事，思来者”

《史记》的用意在于继承《春秋》，这主要表现在两个字上，一个是“渐”，一个是“微”。

“渐”指的是“未然”之前，也就是事情发生的可能性已经存在，但还没有成为现实之时。《太史公自序》里面说：“《春秋》之中，弑君三十六，亡国五十二，诸侯奔走不得保其社稷者不可胜数。察其所以，皆失其本已。……故曰‘臣弑君，子弑父，非一旦一夕之故也，其渐久矣’。故有国者不可以不知《春秋》，前有谗而弗见，后有贼而不知。为人臣者不可以不知《春秋》，守经事而不知其宜，遭变事而不知其权。……故《春秋》者，礼义之大宗也。夫礼禁未然之前，法施已然之后……”学历史、写历史有什么作用？是为了要在事情未发生之前就能看出兆头。这种思想认识比过去的人前进了一步。过去的人懂得“殷鉴不远”，如《尚书·无逸》篇就讲了殷周两代四个先王的历史故事，叙述他们如何勤劳恭谨，目的是给后代看，作为借鉴。春秋战国时期，这种思想有所发展，但远不如司马迁所认识的那样深远。为了让人们在事情没有发生以前便能预先觉察，知所趋避，司马迁把掌握历史经验的意义提到一个新的高度。《太史公自序》里，在“继春秋”之前，还有一句是“正易传”，也就是这个意思。易经是讲占卦的，“正易传”不是否定占卜的作用，而是告诉人们，更重要的是要从历史事实里面去预察未来。

“微”，是讲表达的方法。《史记·匈奴列传》后面“太史公曰”中提道：“孔氏著《春秋》，隐桓之闲则章，至定哀之际则微。”“章”是明明白白地讲，“微”是隐隐约约地暗示，这是“为其切当世之文而罔褒，忌讳之辞也”。记当代的事情就有所忌讳，所以写春秋晚年的事，不得不“微”。在这一点上，《史记》也仿效《春秋》。司马迁对汉武帝尽管有所揭露，但多是委曲婉转的。《太史公自序》里面还说：“夫《诗》、《书》隐约者，欲遂其志之思也。……此人皆意有所郁结，不得通其道也，故述往事，思来者。”就是说用隐约暗示的方法把内心里的意思表达出来。

《史记》之继《春秋》，主要目的是“渐”，表现的方法是“微”。有时也兼而有之，如《儒林列传》、《酷吏列传》、《大宛列传》、《匈奴列传》、《货殖列传》便两者兼具。写法是“微”——委曲婉转地流露，但是要写出他所觉察到的当代社会危机，所以目的是“渐”。

“述往事，思来者。”这里，“往事”是历史，“来者”是理想；就是说，要通过叙述往事来表达他的理想。在《史记》里面，司马迁对历史人物和事实，有所称赞，也有所批评，有褒有贬。传统的说法认为《春秋》有褒有贬，其实看不出来。按照后人的解释，《春秋》是有贬无褒。司马迁的《史记》却是有肯定，有否定。如他对刘邦是肯定的，但对刘邦的钩心斗角，杀戮大臣，却进行了批评。对吕后，肯定中又有揭露，他写了不少宫廷内部的斗争以及吕后怎么嫉妒刻毒，欺侮人。但在《吕太后本纪》的结尾，司马迁说："孝惠皇帝、高后之时，黎民得离战国之苦，君臣俱欲休息乎无为，故惠帝垂拱，高后女主称制，政不出房户，天下晏然。刑罚罕用，罪人是希。民务稼穑，衣食滋殖。"这是称赞吕后的。对汉文帝的表扬，《孝文本纪》里虽不很明确，但在八书的《律书》中却说得很清楚："太史公曰：文帝时，会天下新去汤火，人民乐业，因其欲然，能不扰乱，故百姓遂安。自年六七十翁亦未尝至市井，游敖嬉戏如小儿状。孔子所称有德君子者邪！"这虽有些夸张，但也反映出，文帝时的统治是较好的。在《自序》里说到司马谈曾嘱咐他：汉兴以来有许多好事，不记下来对不起死者。看来，司马迁是执行了父亲的嘱托的。有人说司马迁的书是谤书，其实，《史记》中有很多是歌颂汉家功德的。

司马迁从不笼统地肯定或否定哪一个人。他对萧何固然有很多批评，如说萧何是刀笔吏等等，但也还是有所肯定的。如在《萧相国世家》中，称赞萧何在入咸阳时，"独先入收秦丞相御史律令图书藏之"（这里的图书指户口册等），对刘邦取胜很有关系。对萧何向刘邦力荐韩信，也是加以肯定的。汉高祖领兵打仗，萧何守关中，后方工作做得很好。司马迁通过这三件事肯定了萧何识大体，有才干。

《史记》在“述往事，思来者”方面的成就是很值得注意的。司马迁把历史事实、自己的理想、评论三者很好地紧密地结合在一起，这也是我们应当学习和继承的好传统。

（五）“寓论断于序事”

《史记》以“寓论断于序事”的手法，写出了深刻动人的篇章。它不是先发一套议论，再讲事实，也不是把事情说完了，再来一个架空的分析，而是通过历史过程的叙述，引导读者自然而然地得出结论。

以《刘敬叔孙通列传》所写叔孙通为例。叔孙通是一个不讲是非曲直而与时进退、以面谀得势的人。文中有四次对他的论断。正当陈涉起义，反秦军势如破竹时，秦二世诏问博士诸生，有三十多人提出要发兵平定反叛。秦二世恼怒了，叔孙通便上前献媚说：“诸生言皆非也……且明主在其上，法令具于下，使人人奉职，四方辐辏，安敢有反者！此特群盗鼠窃狗盗耳，何足置之齿牙间？郡守尉今捕论，何足忧。”于是二世赏他帛二十匹，衣一袭，还拜他为博士。对此事，司马迁没有明文评论，但他紧跟着就写道：“叔孙通已出宫，反舍，诸生曰：‘先生何言之谀也？’”这是篇中出现的第一次论断。

汉高帝时，叔孙通做的唯一大事是定朝仪。文章借鲁两生的嘴说：“公所事者且十主，皆面谀以得亲贵。”这是篇中出现的第二次论断。

接着，文章记朝仪的场面，刘邦得意忘形地说：“吾乃今日知为皇帝之贵也。”司马迁借用刘邦的话，从侧面批评叔孙通，这是篇中的第三次论断。

第四次论断是借叔孙通的一批弟子在定朝仪受宠前后的话，从反面刻画出叔孙通的为人。定朝仪前，叔孙通对弟子“无所言进”，弟子皆悄悄骂他“专言大猾”。叔孙通定朝仪后，其弟子也受赏、做官，诸生乃皆喜曰：“叔孙生诚圣人也，知当世之要务。”

分析《史记》对叔孙通的论断可以看出，司马迁“寓论断于序事”的本事是很高明的。他结合具体史事，吸收当时人的评论或反映，不用作者出头露面就给一个历史人物作了论断。更妙的是，他吸收的这些评论或反映又是记述历史事实发展过程中不可分割的部分。这样写，落墨不多，生动深刻，给人以强烈的感染，并有余味。

顾炎武曾提出两点看法，一是司马迁的文章“于序事中寓论断”，让事实本身说话；一是“太史公胸中固有天下大势”。《史记》确实如此。司马迁的这支笔以浩浩荡荡的气势，把历史事实写得既清楚，又生动。作为一个历史家是要有文学修养的，必须使历史人物活现在纸上，才能显示出历史著作的吸引力。《史记》以写人物为最好，写战争次之。

（六）空前的巨著，优秀的楷模

《史记》这部通史在它所包括的时代上，在丰富的内容上都是前无古人的。书中写贵族的很多，写平民的也不少，这是二十四史里的其他著作比不上的。司马迁在那种历史条件下，就能不仅记载上层，而且也记载下层人物；不仅记载统治集团的人物，而且也记载被统治阶级的人物，说明他的眼光是比较远大的。这一点和以后的史书比起来也是很突出的。《史记》里面不仅写男子，还记载了妇女当中比较出色的人物，如聂政的姊姊，王陵的母亲，虽没有为她们专门写传记，但写得很突出。在写妇女历史方面，司马迁的贡献是不能抹杀的。《史记》不仅写汉族，还写少数民族。他写了南越、东越、西南夷、匈奴等列传，并且不是把少数民族放在末尾，而是和别的列传穿插起来，按历史顺序编排。此外，《史记》不仅写中国，还写当时接触到的国外情况。就是这样，司马迁把他当时能收罗到的材料和书面上见到的东西，都利用起来，写成了一部从远古传说时期到汉武帝时期的通史，包括了社会各阶级、各阶层、妇女、少数民族和有关的外国。从内容的丰富、包含时间的长远来看，《史记》确是一部前无古人的巨著，是后来史家的优秀楷模。

这样说，我们对司马迁的估价是否太高了，难道后世的历史家都不如司马迁？这似乎是有关史学进化还是退化的问题。应当承认，像司马迁这么全面地发展了史学，后来的人是很少有的。司马迁集史学家、文学家、思想家于一身，也是后无来者的。当然，后人在某些方面的成就还是超过了司马迁的。比如班固的“方以智”，固然不如司马迁的“圆而神”，但在很多具体事实上，班固的《汉书》纠正了司马迁的错误。我们不能机械地去看待历史的发展。马克思在《政治经济学批判》的导言里，讲希腊艺术时就提出了这个问题，他说：“但是，困难不在于理解希腊艺术和史诗同一定社会发展形式结合在一起。困难的是，它们何以仍然能够给我们以艺术享受，而且就某方面说还是一种规范和高不可及的模本。”这是什么道理呢？马克思拿成人与儿童的关系来解释：“一个成人不能再变成儿童，否则就变得稚气了。但是，儿童的天真不使他感到愉快吗？他自己不该努力在一个更高的阶梯上把自己的真实再现出来吗？在每一个时代，它的固有的性格不是在儿童的天性中纯真地复活着吗？为什么历史上的人类童年时代，在它发展得最完美的地方，不该作为永不复返的阶段而显示出不朽的魅力呢？”（《马克思恩格斯全集》，第12卷，第762页）中国封建社会的历史发展到汉武帝时，各方面出现了空前蓬勃发展的局面，也就在这时出了一个司马迁，他的成就体现了他所处时代的精神。如果说司马迁也有毛病的话，那就是他很粗放。但他的粗放正体现了那个时代的生命力，体现了汉武帝那个时代封建社会蓬勃发展的活力。每一个时代都有它自己的特点，有它自己的产物，这是不会随着历史的发展进化而磨灭的。它的魅力将会长存，只是后来的更加发展罢了。艺术创作是这样，历史著作也是这样。

附：司马迁寓论断于序事

（一）顾炎武提出的问题

顾炎武《日知录》卷二十六说："古人作史，有不待论断而于序事之中即见其指者，惟太史公能之。《平准书》末载卜式语，《王翦传》末载客语，《荆轲传》末载鲁句践语，《晁错传》末载邓公与景帝语，《武安侯田蚡传》末载武帝语，皆史家于序事中寓论断法也。""寓论断于序事"，这确实是太史公书的特点。司马迁不用专门说一些议论的话，就可以在史实的叙述中把自己的论点表达出来，这是他表达历史论点的特殊形式。顾炎武指出这个问题来，对于我们研究司马迁的史学，大有启发。

在顾炎武举的五个例子中，《平准书》末的原文是："是岁小旱，上令官求雨。卜式言曰：'县官当食租衣税而已，今弘羊令吏坐市列肆，贩物求利。亨（烹）弘羊，天乃雨。’”这是借卜式的话来批评桑弘羊的法外剥夺、“兴利”害民的。《王翦传》末记客语：“夫为将三世者必败。必败者何也？以其所杀伐多矣，其后受其不祥。”这是借客语来批评王翦、王贲、王离等父子祖孙三代唯知以战争杀人为事，终于必败。《荆轲传》末：“鲁句践已闻荆轲之刺秦王，私曰：‘嗟乎惜哉，其不讲于刺剑之术也！甚矣吾不知人也！曩者吾叱之，彼乃以我为非人也！’”这似是借鲁句践的话表示对荆轲行刺的惋惜，惜其术之不精、准备得不足。《晁错传》末所记邓公语是：“夫晁错患诸侯强大不可制，故请削地以尊京师，万世之利也。计划始行，卒受大戮，内杜忠臣之口，外为诸侯报仇，臣窃为陛下不取也。”这是借邓公的话指出晁错是因忠受戮，景帝处理不当。《魏其武安侯列传》末载武帝语：“使武安侯在者，族矣！”这是借武帝自己的话来表示武安侯罪不容诛，但却逍遥法外，而魏其侯反以武安侯之诬陷而死。除了《荆轲传》外，其余四例都不只限于对某一个人的评论，还表达了司马迁讽刺当代政治的微旨。这几个例子，并不是《史记》中“于序事中寓论断”的最好的例子，但有一个共同的特点，即它们都恰好是位置在篇末。这在顾炎武，好像是有意把它们找来放在一起的。

司马迁“于序事中寓论断”的最好例子，不一定是放在篇末，而往往是在篇中；不只是借着一个人的话来评论，而有时是借着好几个人来评论；不一定用正面的话，也用侧面的或反面的话；不是光用别人的话，更重要的是联系典型的事例。侯外庐同志主编的《中国思想通史》第二卷（152~153页）曾称道《叔孙通传》寓论断于序事的笔法。确实，《叔孙通传》使用了丰富的表达形式而体现了作者的论点，是很值得我们一读的。

《叔孙通传》全篇都在写一个不讲是非曲直，而与时进退、以面谀得势的人。文章一开始，叔孙通就以一个面谀的人物上场。那时正当陈涉起义，反秦军势如破竹。二世皇帝诏问博士诸生。有三十多个人提出来，要发兵平定反叛。二世恼了。叔孙通上前说：

> 诸生言皆非也。夫天下合为一家，毁郡县城，铄其兵，示天下不复用。且明主在其上，法令具于下，使人人奉职，四方辐辏，安敢有反者！此特群盗鼠窃狗盗耳，何足置之齿牙间？郡守尉今捕论，何足忧。

这话很使二世喜欢，二世赏给他帛二十匹、衣一袭，还拜他为博士。司马迁对此没有明文评论，却紧跟着写道：

> 叔孙通已出宫，反舍，诸生曰："先生何言之谀也？"

这是借秦诸生的话说出了对叔孙通的评论，这是篇中出现的第一次评论。

在汉高帝时期，叔孙通做的唯一大事是定朝仪。文章记鲁两生的话说：

> 公所事者且十主，皆面谀以得亲贵。今天下初定，死者未葬，伤者未起，又欲起礼乐。

这是借鲁两生的话指出定朝仪也不过是为了"面谀以得亲贵"，这是篇中出现的第二次评论。

接着，文章记朝仪的场面和汉高帝的反应：

> 于是皇帝辇出房，百官执职传警。引诸侯王以下至吏六百石，以次奉贺。自诸侯王以下，莫不振恐肃敬。至礼毕，复置法酒。诸侍坐殿上，皆伏，抑首。以尊卑次起，上寿。觞九行，谒者言"罢酒"。御史执法，举不如仪者辄

引去。竟朝置酒，无敢讙哗失礼者。于是高帝曰：“吾乃今日知为皇帝之贵也。”

这一套朝仪，服侍得汉高帝直舒服到心眼儿里去。“吾乃今日知为皇帝之贵也”，这是高帝自己的得意忘形，也是对叔孙通的这套本事的赞叹。司马迁就借用了这一句话，作为从侧面对叔孙通的批评。这是篇中的第三次评论了。

原来叔孙通还有一批弟子跟着。司马迁写出这批人在定朝仪前后的嘴脸来。在定朝仪前，

从儒生弟子百余人，然通无所言进，专言诸故群盗壮士进之。弟子皆窃骂曰：“事先生数岁，幸得从降汉。今不能进臣等，专言大猾，何也？”

到了定朝仪后，高帝很得意，

乃拜叔孙通为太常，赐金五百斤。叔孙通因进曰：“诸弟子儒生随臣久矣，与臣共为仪，愿陛下官之。”高帝悉以为郎。叔孙通出，皆以五百斤金赐诸生。诸生乃皆喜曰：“叔孙生诚圣人也，知当世之要务。”

这是借着叔孙通同伙人的话，从反面刻画出叔孙通的为人。这是篇中出现的第四次的评论了。

文章的收尾已在惠帝时期了。司马迁只记了两件事情：

> 孝惠帝为东朝长乐宫，及闲往，数跸烦人，乃作复道。方筑武库南。叔孙生奏事，因请闲曰："陛下何自筑复道，高寝衣冠，月出游高庙。高庙，汉太祖。奈何令后世子孙乘宗庙道上行哉？"孝惠帝大惧。曰："急坏之。"叔孙生曰："人主无过举。今已作，百姓皆知之。今坏此，则示有过举。愿陛下为原庙渭北，衣冠月出游之。益广多宗庙，大孝之本也。"上乃诏有司立原庙。原庙起，以复道故。
>
> 孝惠帝曾春出游离宫。叔孙生曰："古者有春尝果，方今樱桃孰（熟），可献。愿陛下出，因取樱桃献宗庙。"上乃许之。诸果献由此兴。

这两件事都是"缘饰儒术"以逢迎皇帝。在这里，司马迁没有引用什么人的评论，却也正好符合鲁两生所谓"皆面谀以得亲贵"。

司马迁结合具体的史事，吸收当时人的评论或反映，不用作者出头露面，就给一个历史人物作了论断。更妙在，他吸收的这些评论或反映都是记述历史事实发展过程中不可分割的部分，它们本身也反映了历史事实。这样写来，落墨不多，而生动、深刻。作者并没有勉强人家接受他的论点，但他的论点却通过这样的表达形式给人以有力的感染。

在《史记》的其他篇中，如《越王勾践世家》载范蠡遗文种书，《曹相国世家》载百姓歌词，《孙子吴起列传》载李克对魏文侯语，《商君列传》载赵良语，《樗里子甘茂列传》载秦谚，《季布栾布列传》载楚谚，《魏其武安侯列传》附灌夫传而载颍川儿歌，《李将军列传》载文帝语，都有类似的表达史论的形式。而《刘敬叔孙通列传》是更集中地运用了这一形式。

（二）最基本的形式

司马迁寓论断于序事的最基本的形式，究竟还是历史叙述的形式。有的时候，他在文章内借用了当时别人的评论或反映以表达自己的论点，但更多的时候是在历史叙述的过程中就已把论点表达出来了。对于春秋末年以后的历史叙述，尤其是对于秦汉的历史叙述，这样的表达形式是很显著的。

我们可以特别挑出《淮阴侯列传》来说。文章一开头，用韩信的几件逸事写他早年不遇而意志不凡。接着，通过萧何追韩信的故事，提出“如信者，国士无双”，“必欲争天下，非信无所与计事者”。这就把韩信在当时楚汉斗争中的可能的重要作用，突出起来了。接着，筑坛拜将。“诸将皆喜，人人各自以为得大将。至拜大将，乃韩信也，一军皆惊。”这指出，汉军第一次有了大将。从这时一直到破项羽以前，韩信是汉唯一的大将。这正如张良所说：“汉王之将独韩信可属大事，当一面。”（《留侯世家》）在拜将以后，文章记载了韩信跟汉王的对话。韩信在这里分析了楚汉不同的群众基础、楚战略上的失计，提出了汉应有的对策。像这样针对全局的看法，不只汉诸将提不出来，甚至如张良、陈平等著名谋臣也没有提出来过。文章在这篇对话之后，紧接着说：“于是汉王大喜，自以为得信晚。遂听信计，部署诸将所击。”这就是说，这篇对话成为汉抗楚的决策。文章给了它很高的地位。后来班固在《汉书》卷三十四、司马光在《通鉴》卷九，完全抄录了《史记》这一段记载，大概对这段记载的重要性也都是有所认识的。荀悦《汉纪》卷二基本上袭用了这一段，但结以“于是王大喜，自以为得信晚也”，而删去“遂听信计，部署诸将所击”，这在分量上就差多了。

文章用最多的篇幅写韩信的战功。写他佯渡临晋、阴袭安邑以破魏，背水为阵、引成安君空壁以败赵，奇袭历下、囊沙壅水以破齐。并在破魏后写出了“破代兵、禽夏说、阏与”，在破赵后写出了“发使使燕，燕从风而靡”。《太史公自序》说：“楚人迫我京索，而信拔魏赵，定燕齐，使汉三分天下有其二，以灭项籍。作淮阴侯列传第三十二。”司马迁是在着意写这些重大战役的，把它们写得有声有色。文章在这里，绝不像写樊哙、郦商、夏侯婴、灌婴、傅宽、靳歙等的武功那样，去写斩首若干级，捕虏若干人，降吏卒若干人，所部卒斩虏若干人，定郡县若干处，得丞相、将军、二千石以下若干人。也不像写曹参的战功那样，老是写“从攻”什么、“从至”什么、“还定”什么、“从击”什么。文章写的是韩信如何指挥全军，战无不胜，攻无不取。此外，文章还写了韩信对于汉王作战的支持。第一次是写汉败于彭城之后，“信复收兵与汉王会荥阳”，使“楚兵卒不能西”。第二次是“信之下魏破代，汉辄使人收其精兵，诣荥阳以距楚”。第三次是汉相继败于荥阳、成皋后，汉王夺了韩信伐赵胜利之军而使韩信另“收赵兵未发者击齐”。这三次的支援都是强有力的支援。可见韩信的武功不只在他自己所指挥的战场上，并且还在于投入重要力量于楚汉决斗的战场上以至于垓下的最后消灭项羽。

文章写到韩信破齐后，立为齐王，上半篇可说告一段落。在这以前，已经是“使汉三分天下有其二”，文章用具体的史实来肯定韩信的成就。到了下半篇，文章着意去写韩信对汉王的知遇之感及非其罪而死。它主要记了五件事情：二说、一擒、一斩、一烹。

二说，是武涉和蒯通的先后说韩信。武涉说：“当今二王之事，权在足下。足下右投则汉王胜，左投则项王胜。项王今日亡，则次取足下。足下与项王有故，何不反汉，与楚连和，三分天下王之。”蒯通也说：“当今两主之命悬于足下。足下为汉则汉胜，与楚则楚胜。……莫若两利而俱存之。三分天下，鼎足而居。”他更说韩信“欲行忠信以交于汉王”之行不通，指出“今足下戴震主之威，挟不赏之功。归楚，楚人不信。归汉，汉人震恐。足下欲持是安归乎？夫势在人臣之位，而有震主之威，名高天下，窃为足下危之”。但文章记韩信对武涉的答复是：“汉王授我上将军印，予我数万众，解衣衣我，推食食我，言听计用，故吾得以至于此。夫人深亲信我，我倍之不祥。虽死，不易。”韩信答蒯通是：“汉王遇我甚厚，载我以其车，衣我以其衣，食我以其食。吾闻之，乘人之车者载人之患，衣人之衣者怀人之忧，食人之食者死人之事。吾岂可以向利倍义乎？”文章用这两次的对话，一方面更肯定了韩信的功高，另一方面也表明了韩信对汉的心迹。

一擒，是汉高帝以计擒韩信。文章说：“人有上书告楚王信反。高帝以陈平计，天子巡狩会诸侯。南方有云梦。发使告诸侯会陈：‘吾将游云梦’，实欲袭信。信弗知。……上令武士缚信，载后车。信曰：‘果若人言，狡兔死，良狗亨（烹）；高鸟尽，良弓藏；敌国破，谋臣亡。天下已定，我固当亨。’上曰：‘人告公反。’遂械系信，至雒阳，赦信罪，以为淮阴侯。”文章写这一段，妙在写得不明不白。对于韩信造反，只从高帝口中说出。但紧跟着这一段记载，文章写了一句：“信知汉王畏恶其能。”这虽是写韩信的想法，但这里用一“知”字，实际上是轻轻地肯定了他这一想法。

文章在后面写韩信被斩的过程，是先写韩信辟左右、携陈豨之手，密语反汉。再写韩信计划“夜诈诏，赦诸官徒奴，欲发以袭吕后太子”。后因舍人弟告变，为吕后诱入，“使武士缚信，斩之长乐钟室。……遂夷信之族”。这一段写得很有破绽。这大概是文章故意留下的破绽。梁玉绳说：“一饭千金，弗忘漂母。解衣推食，宁负高皇？不听（武）涉（蒯）通于拥兵王齐之日，必不妄动于淮阴家居之时。不思结连（英）布、（彭）越大国之王，必不轻约边远无能之将（陈豨）。宾客多（陈豨）与称病之人（韩信）何涉，左右辟则絜手之语谁闻。上谒入贺，谋逆者未必坦率如斯。家臣徒奴，善将者亦复部署有几。是知高祖畏恶其能，非一朝夕。”梁玉绳归结于“信之死冤矣。……大抵出于告变者之诬词及吕后与相国（萧何）文致之耳。史公依汉廷狱案叙入传中，而其冤自见”。（见《史记志疑》卷三十二）这话是很有见地的。《通鉴》卷十二袭《史记》所记韩信携陈豨手密语跟陈豨造反串写一起，就大失《史记》的原意了。

文章最后写高帝要烹蒯通的故事：

> 蒯通至。上曰：“若教淮阴侯反乎”？对曰：“然。臣固教之。竖子不用臣之策，故令自夷于此。如彼竖子用臣之计，陛下安得而夷之乎？”
>
> 上怒曰：“亨之。”通曰：“嗟乎！冤哉亨也！”上曰：“若教韩信反，何冤？”对曰：“秦之纲绝而维弛，山东大扰，异姓并起，英俊乌集。秦失其鹿，天下共逐之。于是高材疾足者先得焉……且天下锐精持锋，欲为陛下所为者甚众，顾力不能耳。又可尽亨之邪？”

高帝曰：“置之。”乃释通之罪。

写这段故事，也只是要写汉高帝对韩信之“畏恶其能”。因此，韩信必不可释，而教韩信谋反的人倒可以无罪了。方苞《望溪集》卷二《书淮阴侯列传后》说：“其详载武涉蒯通之言，则征文以志痛也。方信据全齐，军锋震楚汉，不忍向利倍义，乃谋叛于天下既集之后乎？其始被诬以行县陈兵出入耳，终则见绐，被缚斩于穹禁。未闻谳狱而明征其辞，所据乃告变之诬耳。其与陈豨辟人絜手之语，孰闻之乎？信之过独在请假王与约分地而后会兵垓下。然秦失其鹿，欲逐而得之者多矣。蒯通教信以反罪尚可释，况定齐而求自王、灭楚而利得地，乃不可末减乎？故以通之语终焉。”这对于司马迁的文章是有较好的体会的。《汉书》卷三十四的韩信传袭《史记》之文而把蒯通的这个故事删去了，使全文大为减色。顾炎武认为，这使韩信传“寥落不堪读”（《日知录》卷二十六）。这“寥落不堪读”，不只是对《史记·淮阴侯列传》之文章上的损害，也是对全传精神上的损害。

通观《淮阴侯列传》，作者只着意写历史并不写评论，而韩信的生平既跃然纸上，他在事功上的成就及他的非其罪而死也就历历可见了。但《淮阴侯列传》的更大成功还在于通过韩信的生平，写出了当年局势由汉开始拜将定策，到楚汉对峙，到汉兴楚灭的历史发展过程，写出了楚汉对抗的矛盾到汉统治集团内部矛盾的转化。写一个人的生平，绝不脱离当时整个的局势而孤立地去写，这是《史记》的很大的出色之处。在《淮阴侯列传》里用了一小半的篇幅写韩信的非其罪而死，这在司马迁不是偶然的，这表现他反对封建专制主义的一个侧面。

司马迁在《史记》一书里，曾广泛使用了以历史叙述表达历史论断这一基本形式。他善于通过代表性的历史人物去说明、论断历史问题。他着意去写一定时期中的风云人物。他的《项羽本纪》、《陈涉世家》、《萧相国世家》、《孙子吴起列传》、《商君列传》、《李斯列传》都属于这样的篇章。他同样着意去写虽非风云人物，但可供以集中反映问题的人物。他的《万石张叔列传》、《魏其武安侯列传》、《李将军列传》、《平津侯主父列传》又都是属于这一类的佳制。

（三）两两对照

司马迁善于用两两对照的方法来突出历史的问题，以见作者意旨。

我们还可以《淮阴侯列传》为例。这篇文章写韩信精于用兵而疏于自全，自以为能而有功，不措意于汉高帝的猜忌。文章写定燕赵后，汉王袭夺韩信张耳军，韩信并未因此引起了什么警惕。定齐以后，韩信请立为假王，汉王发书大怒骂，而韩信仍懵然不能理会汉王对自己的反应，方且以为言听计从。他不听武涉、蒯通的游说，也全然不理会功高震主的危机，方且“自以为功多，汉终不夺我齐”。灭项羽后，“高祖袭夺齐王军”，韩信由齐王徙为楚王，似犹未觉察自己处于危疑的地位。到了进谒被擒，他并不谢过，还说“天下已定，我固当亨”。从此他才“知汉王畏恶其能”，而他自处的办法却是“常称病不朝从”，“由此日夜怨望，居常鞅鞅，羞与绛灌等列”。甚至于在这时候，韩信还可以跟汉高帝有这样的对话：

“上问曰：‘如我，能将几何？’

“信曰：‘陛下不过能将十万。’

“上曰：‘于君何如？’

“曰：‘臣多多而益善耳。’

“上笑曰：‘多多益善，何为为我擒？’

“信曰：陛下不能将兵而善将将，此乃信之所以为陛下擒也。且陛下所谓天授，非人力也。”

因此，他就终不免于被害，而高帝对于他的被害也就“且喜且怜之”了。

司马迁写萧何，在《萧相国世家》里写这位“刀笔吏”出身的政治家却有迥然不同于韩信的一套办法。文章先是写：

> 汉三年，汉王与项羽相距京索之间。上数使使劳苦丞相。鲍生谓丞相曰：“王暴衣露盖，数使使劳苦君者，有疑君心也。为君计，莫若遣君子孙昆弟能胜兵者，悉诣军所，上必益信君。”于是何从其计。汉王大说。

其后，在汉十一年，

> 上已闻淮阴侯诛，使使拜丞相何为相国，益封五千户。令卒五百人，一都尉为相国卫。诸君皆贺，召平独吊。……召平谓相国曰：“祸自此始矣。上暴露于外，而君守于中，非被矢石之事而益君封置卫者，以今者淮阴侯新反于中，疑君心矣。夫置卫卫君，非以宠君也。愿君让封勿受。悉以家私财佐军，则上心说。”相国从其计。高帝乃大喜。

在汉十二年，

> 秋，黥布反。上自将击之。数使使问相国何为。相国为上在军，乃拊循勉力百姓，悉以所有佐军，如陈豨时。客有说相国曰："君灭族不久矣。夫君位为相国，功第一，可复加哉？然君初入关中，得百姓心，十余年矣，皆附君，常复孳孳得民和。上所为数问君者，畏君倾动关中。今君胡不多买田地、贱贳贷以自汙，上心乃安。"于是相国从其计。上乃大说。

萧何不只随时考虑如何解除高帝的疑忌以自全，还考虑到子孙的安全。文章说：

> 何置田宅必居穷处，为家不治垣屋。曰："后世贤，师吾俭。不贤，毋为势家所夺。"

像这样的小心谨慎，还不免于触高帝之怒，曾被囚禁于廷尉。但这在当时究还只能算是小小的风险，毕竟是跟韩信的下场有天渊的不同。"淮阴黥布等皆以诛灭，而何之勋烂焉，位冠群臣，声施后世，与闳夭、散宜生等争烈矣。"司马迁是有意地把韩信跟萧何对照着写的。这当然是写出了两人历史的不同的特点，更重要的是写出了汉高帝统治下政治倾向、政治气氛的一个重要的方面。

《萧相国世家》是《史记》的第五十三卷，《淮阴侯列传》是第九十二卷。以萧韩相比，是隔了三十八卷的书来相比的。而《史记》卷一百零九的《李将军列传》和卷一百一十一的《卫将军骠骑列传》，却只是相隔一卷而对照着写起来的。中间相隔的这一卷是《匈奴列传》，也是跟这两卷有密切关系的。

在这两篇文章里，写出李广跟卫青、霍去病的出身不同、治军不同、战争经历不同，所享名声和下场也各不同。

文章写李广的出身是“世世受射”，“以良家子从军击胡，用善骑射，杀首虏多，为汉中郎”。后来屡次参战力征，“不得爵邑，官不过九卿”，卫青的仕进则是由于姊卫子夫自平阳公主家得幸天子。文章写道：“子夫为夫人，青为大中大夫。”“元朔元年春，卫夫人有男，立为皇后。其秋，青为车骑将军，出雁门。”后来官至大将军，自己和三子都封侯，当时有人就说青：“将军所以功未甚多，身食万户，三子皆为侯者，徒以皇后故也。”霍去病是卫皇后姊子，并且是“年十八幸，为天子侍中”。后来就一直青云直上，“日以亲贵，比大将军”。

文章写及：“广廉得赏赐，辄分其麾下，炊食与士共之。”“广之将兵，乏绝之处见水，士卒不尽饮，广不近水。士卒不尽食，广不尝食。宽缓不苛，士以此爱乐为用。”“其士卒亦佚乐，咸乐为之死。”文章对卫青治军，无所称述。对霍去病，则说：“少而侍中，贵，不省士。其从军，天子为遣太官，赍数十乘。既还，重车余弃粱肉，而士有饥者。其在塞外，卒乏粮，或不能自振，而骠骑尚穿域蹋鞠。事多此类。”

文章写李广的战争经历，着意去写他的勇略。写他以百骑遇匈奴数千骑，沉着对敌，使敌卒引兵而去。写他以四千骑当敌四万骑，“会日暮，吏士皆无人色，而广意气自如，益治军”。在写卫青、霍去病屡次出击匈奴，并无这样的场面，也缺少对战争的正面叙述，而他们的战功多是在诏书提的。对于霍去病所部士卒的优越条件，一则曰：“诸宿将所将士马兵，亦不如骠骑。骠骑所将，常选，然亦敢深入。”再则曰：“敢力战深入之士皆属骠骑。”对元狩四年的出击匈奴，写道：“上令大将军青、骠骑将军去病将各五万骑，步兵转者踵军数十万。”接着，写了他们的战功。最后写出：“两军之出塞，塞阅官及私马，凡十四万匹。而复入塞者，不满三万匹。”这似乎是说，虽有胜利，而损失很重。文章又说，此后“竟不复击匈奴者以汉马少，而方南诛两越，东伐朝鲜，击羌西南夷，以故久不伐胡”。后来竟因此而无力再出击匈奴了。

文章先后记：“李广才气，天下无双。”“左右以为广，名将也。”“匈奴畏李广之略。”“广居右北平。匈奴闻之，号曰汉之飞将军。避之，数岁不敢入右北平。”并记李广因受卫青督责，“遂引刀自刭。广军士大夫一军皆哭。百姓闻之，知与不知，无老壮皆为垂涕”。文章记卫青，则说：“大将军为人仁善退让，以和柔自媚于上，然天下未有称也。”写霍去病，是写他“日以亲贵”，“上益重爱之”。

司马迁对于这三个人的记述，是显然有所轩轾的。在两篇列传的论赞里，他是说明了这样的意思的。他对李广的论赞是说：

> 传曰：其身正，不令而行；其身不正，虽令不从。其李将军之谓也。余睹李将军悛悛如鄙人，口不能道辞。及死之日，天下知与不知，皆为尽哀。彼其忠实心，诚信于士大夫也！谚曰：“桃李不言，下自成蹊。”此言虽小，可以谕大也。

对卫青霍去病的论赞是说：

> 苏建语余曰："吾尝责大将军至尊重，而天下之贤大夫毋称焉。愿将军观古名将所招选择贤者。勉之哉！"大将军谢曰："自魏其、武安之厚宾客，天下常切齿。彼亲附士大夫、招贤绌不肖者，人主之柄也。人臣奉法遵职而已，何与招士？"骠骑亦放此意。其为将如此。

这就点明了：《李将军列传》写的是一个将才，《卫将军骠骑列传》写的是两个为君主宠幸的没有将略的腐才。这也不只是要写这三个很不相同的将军，更写的是对匈奴战争的用非其人。司马迁在《匈奴列传》的论赞里就更明确地说出这个意思了。他说："世俗之言匈奴者，患其缴一时之权，而务谄纳其说，以便偏指。不参彼已，将率席中国广大，气奋。人主因以决策，是以建功不深。尧虽贤，兴事业不成，得禹而九州宁。且欲兴圣统，唯在择任将相哉！唯在择任将相哉！"

《史记》中有不少篇是用两两相对的写法，两篇对看而意旨更明。《项羽本纪》和《高祖本纪》，《张释之冯唐列传》和《万石张叔列传》，《平津侯主父列传》和《汲郑列传》，都是可以对照着看的。至如两人的合传，如《刘敬叔孙通列传》，刘敬和叔孙通都以“口舌得官”，而两人的为人大不同，放在一篇文章里，正好相得益彰。《魏其武安侯列传》写的是两个外戚，但这两个外戚放在一起来写，也就更可看出两人的不同来了。

（四）细节的描写

司马迁常利用对历史人物细节的描写，有时似是不经意的捎带的叙述，而对历史人物的品评和对历史问题的看法表达出来了。

司马迁在《吕不韦列传》开卷记吕不韦“往来贩贱卖贵，家累千金”，似是轻轻的一笔，却是点出了这个人物的特点。此后用很大篇幅写了吕不韦对子楚返国的奔走经营，就是写他不过是为了“奇货可居”。甚至于他使客著书，“悬千金其上，延诸侯游士宾客有能增损一字者予千金”，也是写他用了一种抬高物价式的办法。“贩贱卖贵”这一笔，可说就是对吕不韦的评价。

《李斯列传》开卷记：“年少时为郡小吏，见吏舍厕中鼠，食不洁，近人犬，数惊恐之。斯入仓，观仓中鼠，食积粟，居大庑之下，不见人犬之忧。于是李斯乃叹曰：‘人之贤不肖，譬如鼠矣，在所自处耳。’”这是一个轻松的小故事，写在这个政治家的传记上，好像有点浪费笔墨，但司马迁却正用它写出李斯的全部人生观。列传写李斯从荀卿学帝王之术，游说秦皇，听从赵高而立二世，上督责书，狱中上书，都不过为的是求“所自处”。列传写李斯全盛时，“门庭车骑以千数，李斯喟然而叹，曰：‘……物极则衰，吾未知所税驾也！’”后来李斯跟赵高合谋立二世，“乃仰天而叹、垂泪太息曰：‘嗟乎！独遭乱世，既以不能死，安托命哉！’”一直到要腰斩咸阳市了，李斯“顾谓其中子曰：‘吾欲与若复牵黄犬，俱出上蔡东门逐狡兔，岂可得乎！’”这都是在最紧要关头上，李斯念念不忘的全部是“自处”的利害。通观列传全篇，在一定意义上，老鼠的故事简直就是李斯一生的缩影。司马迁对这个细节的描写，在全文中是占有一定地位的。

《陈涉世家》在篇末写：“陈胜王凡六月，已为王，王陈。其故人尝与佣耕者闻之，之陈，扣宫门曰：‘吾欲见涉。’宫门令欲缚之。自辩，数，乃置。不肯为通。陈王出，遮道而呼涉。陈王闻之，乃召见，载与俱归。入宫，见殿屋帷帐。客曰：‘伙颐！涉之为王沈沈者！’楚人谓多为伙，故天下传之。伙涉为王，由陈涉始。客出入，愈益发舒，言陈王故情。或说陈王曰：‘客愚无知，颛妄言，轻威。’陈王斩之。”这个故事的位置在陈涉起义、由首揭义旗到最后失败的全部叙述之后，好像是可有可无。但这在司马迁的笔下，却是绝不可少的。司马迁在这个故事之后，紧接着就指出来：在斩了这个农民后，“诸陈王故人皆自引去，由是无亲陈王者”。他是用这个小故事形象地写出了陈涉在取得初步胜利不久，即陷于严重脱离群众的泥潭里，成为他失败的重要原因。用小故事说明大问题，这是司马迁擅长的本领。

司马迁善于用细节的描写从侧面去反映一定时期的政治风气、政治问题，同时也就在其中表达了作者的褒贬。《卫将军骠骑列传》说：

> 大将军既还，赐千金。是时，王夫人方幸于上。宁乘说大将军曰：“将军所以功未甚多，身食万户，三子皆为侯者，徒以皇后故也。今王夫人幸，而宗族未富贵。愿将军奉所赐千金，为王夫人亲寿。”大将军乃以五百金为寿。天子闻之，问大将军，大将军以实言。上乃拜宁乘为东海都尉。

这一方面是在写卫青“以和柔自媚于上”，同时也在写女宠在政治上的作用。《万石张叔列传》说：

（万石君长子）建为郎中令，书奏事。事下，建读之，曰：“误书！‘马’者与尾当五，今乃四，不足一。上谴，死矣！”甚惶恐。其为谨慎，虽他皆如是。

万石君少子庆为太仆。御出，上问车中几马。庆以策数马毕，举手曰：“六马。”庆于诸子中最为简易矣，然犹如此。

这当然是写石建、石庆的恭谨。但他们的恭谨对于他们自己做官，很有好处。在同一篇文章里说：

建为郎中令，事有可言，屏人，恣言极切。至廷见，如不能言者。是以上乃亲尊礼之。

元狩元年，上立太子，选群臣可为傅者。庆自沛守为太子太傅。七岁，迁为御史大夫。元鼎五年秋，丞相有罪，罢。制诏御史：“万石君，先帝尊之，子孙孝。其以御史大夫庆为丞相，封为牧邱侯。”是时，汉方南诛两越，东击朝鲜，北逐匈奴，西伐大宛，中国多事。天子巡狩海内，修上古神祠，封禅，兴礼乐，公家用少。桑弘羊等致利，王温舒之属峻法，兒宽等推文学，至九卿，更进用事，事不关决于丞相，丞相醇谨而已。在位九岁，无能有所匡言。……庆文深审谨，然无他大略，为百姓言。……庆方为丞相，诸子孙为吏，更至一千石者十三人。

这可见，文章写他们那样恭谨的细节，并不只是写他们，而是要通过这些去写当时官场中的一种恭谨自保、讲究做官的政治风气。像这样的人，从不在朝廷上公开说出自己的意见，从不提出对国计民生的主张，却偏能受到皇帝的亲近尊礼，偏能长期地做大官以至做到丞相。文章写这些恭谨的细节，实际上是对当时官场的腐败风气的尖锐讽刺。

司马迁曾在好几处写到狱吏。《李斯列传》写："赵高治斯，榜掠千余，不胜痛，自诬服。""赵高使其客十余辈诈为御史、谒者、侍中，更往复讯斯。斯更以其实对，辄使人复榜之。后二世使人验斯，斯以为如前，终不敢更言。"《绛侯周勃世家》记周勃曾被捕治，及出狱，说："吾尝将百万军，然安知狱吏之贵乎！"《韩长孺列传》记："安国坐法抵罪。蒙狱吏田甲辱安国。安国曰：'死灰独不复然乎？'田甲曰：‘然，即溺之。’”这些记载，也不只是写个人经历，而是写狱吏淫威，写严刑之下，何求不得，这都是跟写《酷吏列传》的精神相通的。

司马迁对于细节的描写，有时也用两两对照的办法：《刘敬叔孙通列传》写了这两个人穿衣服的故事。对于刘（娄）敬是这样写：

> 娄敬脱挽辂，衣其羊裘，见齐人虞将军曰：“臣愿见人言便事。”虞将军欲与之鲜衣。娄敬曰：臣衣帛，衣帛见；衣褐，衣褐见。终不敢易衣。

对于叔孙通是这样写：

> 叔孙通儒服。汉王憎之。乃变其服，服短衣，楚制。汉王喜。

这两个小故事写出不同的品质，不同的风度。

《魏其武安侯列传》曾有多处写魏其侯窦婴和武安侯田蚡为人的不同，并专就田蚡对待窦婴态度上前后的变化写了两条。一条是写窦婴当权，田蚡初起的时候：

魏其已为大将军后，方盛。蚡为诸郎，未贵，往来侍酒魏其，跪起如子姓。

又一条是写田蚡做了丞相后的事：

灌夫有服，过丞相。丞相从容曰："吾欲与仲孺（即灌夫）过魏其侯，会仲孺有服。"灌夫曰："将军乃肯幸临。况魏其侯，夫安敢以服为解。请语魏其侯帐具。将军旦日蚤临。"武安许诺。

灌夫具语魏其侯，如所谓武安侯。魏其与其夫人益市牛酒，夜洒扫，早帐具。至旦平明，令门下候伺，至日中，丞相不来。魏其谓灌夫曰："丞相岂忘之哉？"灌夫不怿。曰："夫以服请，宜往。"乃驾自往迎丞相。

丞相特前戏许灌夫，殊无意往。及夫至门，丞相尚卧。于是夫入见。曰："将军昨日幸许过魏其。魏其夫妻治具，自旦至今，未敢尝食。"武安鄂谢曰："吾昨日醉，忽忘与仲孺言。"乃驾往，又徐行。

这两条都是关于细节的描写，前后对照起来看，就把一个贪慕势利，骄横自恣的人刻画出来了。

以上所说，都属于司马迁寓论断于序事的表达形式。司马迁的书中也有专门议论的史论形式，也有夹序夹论的形式，这就都须另谈了。

（原载《北京师范大学学报》1961 年第 4 期）

国家新闻出版广电总局
首届向全国推荐中华优秀传统文化普及图书

大家小书书目

国学救亡讲演录	章太炎 著 蒙 木 编
门外文谈	鲁 迅 著
经典常谈	朱自清 著
语言与文化	罗常培 著
习坎庸言校正	罗 庸 著 杜志勇 校注
鸭池十讲（增订本）	罗 庸 著 杜志勇 编订
古代汉语常识	王 力 著
国学概论新编	谭正璧 编著
文言尺牍入门	谭正璧 著
日用交谊尺牍	谭正璧 著
敦煌学概论	姜亮夫 著
训诂简论	陆宗达 著
金石丛话	施蛰存 著
常识	周有光 著 叶 芳 编
文言津逮	张中行 著
经学常谈	屈守元 著
国学讲演录	程应镠 著
英语学习	李赋宁 著
中国字典史略	刘叶秋 著
语文修养	刘叶秋 著
笔祸史谈丛	黄 裳 著
古典目录学浅说	来新夏 著
闲谈写对联	白化文 著
汉字知识	郭锡良 著
怎样使用标点符号（增订本）	苏培成 著
汉字构型学讲座	王 宁 著

诗境浅说	俞陛云　著
唐五代词境浅说	俞陛云　著
北宋词境浅说	俞陛云　著
南宋词境浅说	俞陛云　著
人间词话新注	王国维　著　滕咸惠　校注
苏辛词说	顾　随　著　陈　均　校
诗论	朱光潜　著
唐五代两宋词史稿	郑振铎　著
唐诗杂论	闻一多　著
诗词格律概要	王　力　著
唐宋词欣赏	夏承焘　著
槐屋古诗说	俞平伯　著
词学十讲	龙榆生　著
词曲概论	龙榆生　著
唐宋词格律	龙榆生　著
楚辞讲录	姜亮夫　著
读词偶记	詹安泰　著
中国古典诗歌讲稿	浦江清　著 浦汉明　彭书麟　整理
唐人绝句启蒙	李霁野　著
唐宋词启蒙	李霁野　著
唐诗研究	胡云翼　著
风诗心赏	萧涤非　著　萧光乾　萧海川　编
人民诗人杜甫	萧涤非　著　萧光乾　萧海川　编
唐宋词概说	吴世昌　著
宋词赏析	沈祖棻　著
唐人七绝诗浅释	沈祖棻　著
道教徒的诗人李白及其痛苦	李长之　著
英美现代诗谈	王佐良　著　董伯韬　编
闲坐说诗经	金性尧　著
陶渊明批评	萧望卿　著

古典诗文述略	吴小如 著
诗的魅力 ——郑敏谈外国诗歌	郑 敏 著
新诗与传统	郑 敏 著
一诗一世界	邵燕祥 著
舒芜说诗	舒 芜 著
名篇词例选说	叶嘉莹 著
汉魏六朝诗简说	王运熙 著 董伯韬 编
唐诗纵横谈	周勋初 著
楚辞讲座	汤炳正 著 汤序波 汤文瑞 整理
好诗不厌百回读	袁行霈 著
山水有清音 ——古代山水田园诗鉴要	葛晓音 著
红楼梦考证	胡 适 著
《水浒传》考证	胡 适 著
《水浒传》与中国社会	萨孟武 著
《西游记》与中国古代政治	萨孟武 著
《红楼梦》与中国旧家庭	萨孟武 著
《金瓶梅》人物	孟 超 著 张光宇 绘
水泊梁山英雄谱	孟 超 著 张光宇 绘
水浒五论	聂绀弩 著
《三国演义》试论	董每戡 著
《红楼梦》的艺术生命	吴组缃 著 刘勇强 编
《红楼梦》探源	吴世昌 著
《西游记》漫话	林 庚 著
史诗《红楼梦》	何其芳 著 王叔晖 图 蒙 木 编
细说红楼	周绍良 著
红楼小讲	周汝昌 著 周伦玲 整理

曹雪芹的故事	周汝昌 著 周伦玲 整理
古典小说漫稿	吴小如 著
三生石上旧精魂——中国古代小说与宗教	白化文 著
《金瓶梅》十二讲	宁宗一 著
中国古典小说十五讲	宁宗一 著
古体小说论要	程毅中 著
近体小说论要	程毅中 著
《聊斋志异》面面观	马振方 著
《儒林外史》简说	何满子 著

我的杂学	周作人 著 张丽华 编
写作常谈	叶圣陶 著
中国骈文概论	瞿兑之 著
谈修养	朱光潜 著
给青年的十二封信	朱光潜 著
论雅俗共赏	朱自清 著
文学概论讲义	老 舍 著
中国文学史导论	罗 庸 著 杜志勇 辑校
给少男少女	李霁野 著
古典文学略述	王季思 著 王兆凯 编
古典戏曲略说	王季思 著 王兆凯 编
鲁迅批判	李长之 著
唐代进士行卷与文学	程千帆 著
说八股	启 功 张中行 金克木 著
译余偶拾	杨宪益 著
文学漫识	杨宪益 著
三国谈心录	金性尧 著
夜阑话韩柳	金性尧 著
漫谈西方文学	李赋宁 著
历代笔记概述	刘叶秋 著

周作人概观	舒　芜　著
古代文学入门	王运熙　著　董伯韬　编
有琴一张	资中筠　著
中国文化与世界文化	乐黛云　著
新文学小讲	严家炎　著
回归，还是出发	高尔泰　著
文学的阅读	洪子诚　著
中国文学1949—1989	洪子诚　著
鲁迅作品细读	钱理群　著
中国戏曲	么书仪　著
元曲十题	么书仪　著
唐宋八大家 ——古代散文的典范	葛晓音　选译
辛亥革命亲历记	吴玉章　著
中国历史讲话	熊十力　著
中国史学入门	顾颉刚　著　何启君　整理
秦汉的方士与儒生	顾颉刚　著
三国史话	吕思勉　著
史学要论	李大钊　著
中国近代史	蒋廷黻　著
民族与古代中国史	傅斯年　著
五谷史话	万国鼎　著　徐定懿　编
民族文话	郑振铎　著
史料与史学	翦伯赞　著
秦汉史九讲	翦伯赞　著
唐代社会概略	黄现璠　著
清史简述	郑天挺　著
两汉社会生活概述	谢国桢　著
中国文化与中国的兵	雷海宗　著
元史讲座	韩儒林　著

魏晋南北朝史稿　　贺昌群　著
汉唐精神　　贺昌群　著
海上丝路与文化交流　　常任侠　著
中国史纲　　张荫麟　著
两宋史纲　　张荫麟　著
北宋政治改革家王安石　　邓广铭　著
从紫禁城到故宫
——营建、艺术、史事　　单士元　著
春秋史　　童书业　著
明史简述　　吴　晗　著
朱元璋传　　吴　晗　著
明朝开国史　　吴　晗　著
旧史新谈　　吴　晗　著　习　之　编
史学遗产六讲　　白寿彝　著
先秦思想讲话　　杨向奎　著
司马迁之人格与风格　　李长之　著
历史人物　　郭沫若　著
屈原研究（增订本）　　郭沫若　著
考古寻根记　　苏秉琦　著
舆地勾稽六十年　　谭其骧　著
魏晋南北朝隋唐史　　唐长孺　著
秦汉史略　　何兹全　著
魏晋南北朝史略　　何兹全　著
司马迁　　季镇淮　著
唐王朝的崛起与兴盛　　汪　篯　著
南北朝史话　　程应镠　著
二千年间　　胡　绳　著
论三国人物　　方诗铭　著
辽代史话　　陈　述　著
考古发现与中西文化交流　　宿　白　著
清史三百年　　戴　逸　著

清史寻踪	戴　逸　著
走出中国近代史	章开沅　著
中国古代政治文明讲略	张传玺　著
艺术、神话与祭祀	张光直　著 刘　静　乌鲁木加甫　译
中国古代衣食住行	许嘉璐　著
辽夏金元小史	邱树森　著
中国古代史学十讲	瞿林东　著
历代官制概述	瞿宣颖　著
宾虹论画	黄宾虹　著
中国绘画史	陈师曾　著
和青年朋友谈书法	沈尹默　著
中国画法研究	吕凤子　著
桥梁史话	茅以升　著
中国戏剧史讲座	周贻白　著
中国戏剧简史	董每戡　著
西洋戏剧简史	董每戡　著
俞平伯说昆曲	俞平伯　著　陈　均　编
新建筑与流派	童　寯　著
论园	童　寯　著
拙匠随笔	梁思成　著　林　洙　编
中国建筑艺术	梁思成　著　林　洙　编
沈从文讲文物	沈从文　著　王　风　编
中国画的艺术	徐悲鸿　著　马小起　编
中国绘画史纲	傅抱石　著
龙坡谈艺	台静农　著
中国舞蹈史话	常任侠　著
中国美术史谈	常任侠　著
说书与戏曲	金受申　著
世界美术名作二十讲	傅　雷　著

中国画论体系及其批评　李长之　著
金石书画漫谈　启　功　著　赵仁珪　编
吞山怀谷
——中国山水园林艺术　汪菊渊　著
故宫探微　朱家溍　著
中国古代音乐与舞蹈　阴法鲁　著　刘玉才　编
梓翁说园　陈从周　著
旧戏新谈　黄　裳　著
民间年画十讲　王树村　著　姜彦文　编
民间美术与民俗　王树村　著　姜彦文　编
长城史话　罗哲文　著
天工人巧
——中国古园林六讲　罗哲文　著
现代建筑奠基人　罗小未　著
世界桥梁趣谈　唐寰澄　著
如何欣赏一座桥　唐寰澄　著
桥梁的故事　唐寰澄　著
园林的意境　周维权　著
万方安和
——皇家园林的故事　周维权　著
乡土漫谈　陈志华　著
现代建筑的故事　吴焕加　著
中国古代建筑概说　傅熹年　著

简易哲学纲要　蔡元培　著
大学教育　蔡元培　著
北大元培学院　编
老子、孔子、墨子及其学派　梁启超　著
春秋战国思想史话　嵇文甫　著
晚明思想史论　嵇文甫　著
新人生论　冯友兰　著

中国哲学与未来世界哲学	冯友兰　著
谈美	朱光潜　著
谈美书简	朱光潜　著
中国古代心理学思想	潘　菽　著
新人生观	罗家伦　著
佛教基本知识	周叔迦　著
儒学述要	罗　庸　著　杜志勇　辑校
老子其人其书及其学派	詹剑峰　著
周易简要	李镜池　著　李铭建　编
希腊漫话	罗念生　著
佛教常识答问	赵朴初　著
维也纳学派哲学	洪　谦　著
大一统与儒家思想	杨向奎　著
孔子的故事	李长之　著
西洋哲学史	李长之　著
哲学讲话	艾思奇　著
中国文化六讲	何兹全　著
墨子与墨家	任继愈　著
中华慧命续千年	萧萐父　著
儒学十讲	汤一介　著
汉化佛教与佛寺	白化文　著
传统文化六讲	金开诚　著　金舒年　徐令缘　编
美是自由的象征	高尔泰　著
艺术的觉醒	高尔泰　著
中华文化片论	冯天瑜　著
儒者的智慧	郭齐勇　著
中国政治思想史	吕思勉　著
市政制度	张慰慈　著
政治学大纲	张慰慈　著
民俗与迷信	江绍原　著　陈泳超　整理

政治的学问	钱端升　著　钱元强　编
从古典经济学派到马克思	陈岱孙　著
乡土中国	费孝通　著
社会调查自白	费孝通　著
怎样做好律师	张思之　著　孙国栋　编
中西之交	陈乐民　著
律师与法治	江　平　著　孙国栋　编
中华法文化史镜鉴	张晋藩　著
新闻艺术（增订本）	徐铸成　著
经济学常识	吴敬琏　著　马国川　编

中国化学史稿	张子高　编著
中国机械工程发明史	刘仙洲　著
天道与人文	竺可桢　著　施爱东　编
中国医学史略	范行准　著
优选法与统筹法平话	华罗庚　著
数学知识竞赛五讲	华罗庚　著
中国历史上的科学发明（插图本）	钱伟长　著

出版说明

“大家小书”多是一代大家的经典著作，在还属于手抄的著述年代里，每个字都是经过作者精琢细磨之后所拣选的。为尊重作者写作习惯和遣词风格、尊重语言文字自身发展流变的规律，为读者提供一个可靠的版本，“大家小书”对于已经经典化的作品不进行现代汉语的规范化处理。

提请读者特别注意。

北京出版社